시험에 더 강해지는

보카
클리어

중학 **기본편**

학습자의 마음을 읽는 동아영어콘텐츠연구팀
동아영어콘텐츠연구팀은 동아출판의 영어 개발 연구원, 현장 선생님,
그리고 전문 원고 집필자들이 공동 연구를 통해 최적의 콘텐츠를 개발하는 연구 조직입니다.

원고 개발에 참여하신 분들
유애경, 홍미정

기획에 도움을 주신 분들
고미선, 김민성, 김효성, 신영주, 양세희, 이민하, 이지혜, 이재호, 이현아, 정은주, 조나현, 조은혜, 한지원

시험에 더 강해지는 **보카클리어**
중학 기본편

지은이	동아영어콘텐츠연구팀
발행일	2021년 10월 20일
인쇄일	2023년 9월 30일
펴낸곳	동아출판㈜
펴낸이	이욱상
등록번호	제300-1951-4호(1951. 9. 19)
개발총괄	장옥희
개발책임	최효정
개발	이제연, 이상은, 이은지, 정혜원
영문교열	Ryan Lagace, Patrick Ferraro
표지 디자인	목진성, 권구철, 이소연
내지 디자인	DOTS
내지 일러스트	정한아름, 서영철
Photo Credits	Shutter Stock
대표번호	1644-0600
주소	서울시 영등포구 은행로 30 (우 07242)

시험에 **더** 강해지는

보카
클리어

중학 기본편

Structures

음원을 바로 들을 수 있는
QR 코드

〈영단어〉〈영단어+우리말 뜻〉
〈영단어+예문〉
3가지의 음원이 제공됩니다.

단어 뜻의 이해를 도와주는
우리말 풀이

단어 뜻이 어려운 경우에는 쉬운
우리말 풀이를 달아 주었어요.

들으며 외우기

어휘력 UPGRADE

01 **baby**
[béibi]
형 아기
The **baby** is crying. 아기가

02 **boy**
[bɔi]
형 남자아이, 소년
Two **boys** are playing with a ball.
두 남자아이들이 공을 가지고 놀고 있다.

03 **girl**
[gəːrl]
형 여자아이, 소녀
The **girl** is my sister. 그 여자아이는 내 여동생이다.

04 **man**
[mæn]
복수형 men
형 (성인) 남자
A young **man** saved a little girl.
한 젊은 남자가 어린 여자아이를 구했다.

man에는 성별에 관계없이 '사람, 인간'이라는 뜻도 있어요.

05 **woman**
[wúmən]
복수형 women
형 (성인) 여자
Who i   coat?

여성을 정중하게 부르는 말

숙녀

an old **lady** on the street.
한 노부인을 도와드렸다.

'영부인(대통령의 부인)'을 the First Lady라고 불러요.

06 **lady**
[léidi]

07 **gentleman**
[dʒéntlmən]
복수형 gentlemen
Good 남성을 정중하게 부르는 말 tlemen!
안녕하십니까,

man의 복수형이 men인 것처럼 gentleman의 복수형은 gentlemen이에요.

044 PART 2

◎ 시험에 강해지는 TEST

2단계로 구성된 Daily Test로
암기부터 적용까지 확실한 복습!

내신 대비 어휘 Test로 객관식부터
서술형까지 학교 시험에 완벽 대비!

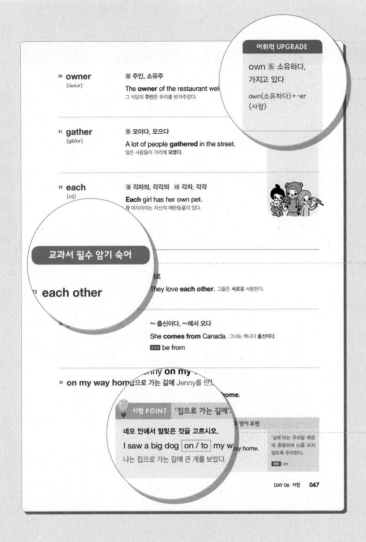

어휘 학습을 도와주는 미니 단어장과 모바일 앱!

미니 단어장

휴대하기 편한 미니 단어장으로
어디서든 편하게 복습해 보세요.

모바일 앱 '암기고래'

'암기고래' 앱에서 어휘 듣기와
어휘 퀴즈를 이용해 보세요.

'암기고래' 앱 > 일반 모드 입장하기 > 영어 >
동아출판 > 보카클리어

Contents & Planner

40일 완성

	1차 학습		2차 학습	
DAY 21	월	일	월	일
DAY 22	월	일	월	일
DAY 23	월	일	월	일
DAY 24	월	일	월	일
DAY 25	월	일	월	일
DAY 26	월	일	월	일
DAY 27	월	일	월	일
DAY 28	월	일	월	일
DAY 29	월	일	월	일
DAY 30	월	일	월	일
DAY 31	월	일	월	일
DAY 32	월	일	월	일
DAY 33	월	일	월	일
DAY 34	월	일	월	일
DAY 35	월	일	월	일
DAY 36	월	일	월	일
DAY 37	월	일	월	일
DAY 38	월	일	월	일
DAY 39	월	일	월	일
DAY 40	월	일	월	일

How to Study

보카클리어로 똑똑하게 어휘를 공부하는 방법을 알려 드립니다.

1

큰 소리로 발음하며 익혀라!

QR 코드로 정확한 발음을 들으면서 단어를 따라 말해 보세요. 소리 내어 말하면서 외우면 더 오랫동안 기억에 남아요.

2

단계별로 범위를 넓혀 가며 외워라!

처음에는 단어와 기본 의미만,
두 번째는 단어가 쓰인 예문까지,
세 번째는 유의어, 반의어, 파생어까지
범위를 넓혀 가며 외우면 더 효과적이에요.

3

무작정 외우기보다는 적용하며 외워라!

shake는 몸을 흔들면서 외우고,
kind는 친절한 사람을 떠올리는 등
단어의 의미를 나와 연관시켜 외우면
단어를 활용할 때 바로 떠올릴 수 있어요.

4

시험포인트를 적극 활용하라!

시험에 자주 나오는 단어나
헷갈리기 쉬운 단어들을
<시험포인트>로 확실하게 정리해 보세요.

5

주기적으로 복습하라!

단어는 한번에 완벽하게 외우기 어려워요.
오늘 공부한 단어는 1일 후, 7일 후, 30일 후
다시 반복해야 확실히 외울 수 있어요.

6

자투리 시간도 내 것으로 만들어라!

학교나 학원을 오갈 때, 쉬는 시간 또는
시험 직전에 미니 단어장과 모바일 앱
(암기고래)을 틈틈이 활용해 보세요.

◎ **이 책에 사용된 약호·기호**

명 명사　동 동사　형 형용사　부 부사　전 전치사　접 접속사　대 대명사　감 감탄사

유의어 뜻이 비슷한 말　반의어 뜻이 반대되는 말　➕ 덩어리로 익히면 좋은 표현

How to Pronounce

발음 기호
읽는 법

발음 기호를 왜 알아야 할까요?

영어 단어는 철자 그대로 발음되지 않아요.
따라서 발음 기호를 알면 일일이 음성을 확인하지 않고도
영어 단어를 읽을 수 있답니다.

모음

들으며 익히기

기호	소리	예시	기호	소리	예시
[a]	ㅏ	box [baks]	[æ]	ㅐ	cat [kæt]
[e]	ㅔ	bed [bed]	[ʌ]	ㅓ	bus [bʌs]
[i]	ㅣ	pin [pin]	[ə]	ㅓ	again [əgéin]
[o]	ㅗ	go [gou]	[ɔ]	ㅗ/ㅓ	dog [dɔg]
[u]	ㅜ	book [buk]	[ɛ]	ㅔ	bear [bɛər]

- 모음 다음에 : 표시가 붙어 있으면 길게 발음하라는 의미예요.
- 모음 위에 ´ 표시가 있으면 가장 강하게 발음하라는 의미이고, ` 표시가 있으면 두 번째로 강하게 발음하라는 의미예요.

자음

기호	소리	예시	기호	소리	예시
[b]	ㅂ	boy [bɔi]	[p]	ㅍ	piano [piǽnou]
[d]	ㄷ	do [du]	[f]	ㅍ/ㅎ	five [faiv]
[m]	ㅁ	milk [milk]	[s]	ㅅ	six [siks]
[n]	ㄴ	name [neim]	[k]	ㅋ	king [kiŋ]
[r]	ㄹ	red [red]	[t]	ㅌ	time [taim]
[l]	ㄹ	list [list]	[ʃ]	쉬	she [ʃi:]
[g]	ㄱ	give [giv]	[tʃ]	취	chair [tʃɛər]
[z]	ㅈ	zoo [zu:]	[θ]	쓰	thing [θiŋ]
[v]	ㅂ	very [véri]	[ð]	드	this [ðis]
[h]	ㅎ	home [houm]	[ŋ]	받침 ㅇ	sing [siŋ]
[ʒ]	쥐	television [téləvìʒən]	[j]	이	yes [jes]
[dʒ]	쥐	jam [dʒæm]	[w]	우	window [wíndou]

PART 1

일상

들으며 외우기

어휘력 UPGRADE

01 **morning**
[mɔ́ːrniŋ]

⑲ 아침, 오전

I drink milk in the **morning.** 나는 **아침**에 우유를 마신다.

➕ in the **morning** 아침에

---

02 **afternoon**
[æftərnúːn]

⑲ 오후

We will go swimming this **afternoon.**
우리는 오늘 **오후**에 수영하러 갈 것이다.

➕ this **afternoon**[morning] 오늘 오후[오전]에

'오늘 오후'라는 말은 today afternoon이라고 하지 않고, this afternoon이라고 해요.

---

03 **evening**
[íːvniŋ]

⑲ 저녁

I usually watch TV in the **evening.**
나는 보통 **저녁**에 TV를 본다.

---

04 **day**
[dei]

⑲ 1. 하루, 날 2. 낮

Have a good **day!** 좋은 **하루** 보내세요!
Owls sleep during the **day.** 올빼미는 **낮** 동안 잔다.

➕ during the **day** 낮 동안

---

05 **night**
[nait]

⑲ 밤, 야간

We can see stars at **night.** 우리는 **밤**에 별을 볼 수 있다.

➕ at **night** 밤에

---

06 **noon**
[nuːn]

낮 12시

⑲ 정오

Let's meet at **noon.** 정오에 만나자.

➕ at **noon** 정오에

07 sleep
[sli:p]
slept-slept

동 (잠을) 자다

Did you **sleep** well last night? 어젯밤에 잘 **잤니**?

sleepy 형 졸린

---

08 play
[plei]
played-played

동 1. 놀다 2. 경기하다 3. 연주하다

We **played** outside. 우리는 밖에서 **놀았다**.
I want to **play** basketball. 나는 농구를 **하고** 싶다.
She is **playing** the piano. 그녀는 피아노를 **연주하고** 있다.

player 명 선수

---

09 study
[stʌ́di]
studied-studied

동 공부하다 명 공부

I'm **studying** for a math test.
나는 수학 시험을 위해 **공부하고** 있다.

study처럼 「자음+-y」로 끝나는 동사의 과거형은 y를 i로 고친 후 -ed를 붙여요.

> 시험 POINT   study의 과거형
>
> 주어진 단어를 활용하여 문장을 완성하시오.
> He _____ hard. (study)
> 그는 열심히 공부했다.

study의 과거형은 studied이다.

정답 studied

---

10 wash
[wɑʃ]

동 씻다

Wash your hands. 손을 씻어라.

---

11 nice
[nais]

형 좋은, 멋진

You look **nice** today. 너 오늘 멋져 보여.

---

12 busy
[bízi]

형 바쁜

He is **busy** with his work. 그는 그의 일로 **바쁘다**.

13 **hurry**
[hə́:ri]
hurried-hurried

⟨동⟩ 서두르다

We need to **hurry**. 우리는 서둘러야 해.

---

14 **every**
[évri]

⟨형⟩ 1. 모든 2. ~마다, 매 ~

Every student likes the class.
모든 학생은 그 수업을 좋아한다.
The store is open **every** day. 그 가게는 매일 연다.

➕ **every** day 매일   **every** week 매주

---

15 **home**
[houm]

⟨명⟩ 집, 가정 ⟨부⟩ 집에, 집으로

I had dinner at **home**. 나는 집에서 저녁을 먹었다.
Let's go **home**. 집에 가자.

> 🎈 시험 POINT **'집에 가다'의 영어 표현**
>
> 우리말을 영어로 바르게 옮긴 것을 고르시오.
>
> 그녀는 일찍 집에 갔다.
>
> ⓐ She went home early.
> ⓑ She went to home early.
>
> '집에 가다'는 go home
> 이다. home 앞에 to를
> 쓰지 않도록 주의한다.
>
> 정답 ⓐ

---

16 **room**
[ru:m]

⟨명⟩ 방

I clean my **room** every day. 나는 매일 내 방을 청소한다.

➕ a bedroom 침실

---

17 **shower**
[ʃáuər]

⟨명⟩ 샤워

I take a **shower** in the morning.
나는 아침에 샤워를 한다.

➕ take a **shower** 샤워를 하다

---

18 **relax**
[rilǽks]

⟨동⟩ 편히 쉬다, 긴장을 풀다

Sit down and **relax**. 앉아서 편히 쉬어라.

19 habit
[hǽbit]

명 습관, 버릇

Saving money is a good **habit**.
돈을 저축하는 것은 좋은 **습관**이다.

➕ a good[bad] **habit** 좋은[나쁜] 습관

---

20 diary
[dáiəri]

명 일기, 일기장

Do you keep a **diary**? 너는 **일기**를 쓰니?

➕ keep a **diary** 일기를 쓰다

---

21 brush
[brʌʃ]

동 붓질하다, 솔질하다   명 붓, 솔

I **brush** my teeth twice a day.
나는 하루에 두 번 이를 **닦는다**.

➕ **brush** one's teeth[hair] 이를 닦다[머리를 빗다]

---

22 mirror
[mírər]

명 거울

I looked at myself in the **mirror**.
나는 **거울** 속의 내 자신을 보았다.

---

23 clock
[klɑ:k]

명 (벽에 걸거나 실내에 두는) **시계**

There is a **clock** on the wall. 벽에 **시계**가 있다.

➕ an alarm **clock** 알람 시계

교과서 필수 암기 숙어

24 get up

(잠자리에서) **일어나다**

My grandmother **gets up** early in the morning.
우리 할머니는 아침에 일찍 **일어나신다**.

---

25 go to bed

잠자리에 들다

I usually **go to bed** at 10. 나는 보통 10시에 **잠자리에 든다**.

Daily Test

[01-25] 영어는 우리말로, 우리말은 영어로 쓰시오.

01	night		13	오후	
02	mirror		14	공부하다; 공부	
03	busy		15	일기, 일기장	
04	clock		16	하루, 날, 낮	
05	habit		17	붓질하다; 붓	
06	hurry		18	아침, 오전	
07	noon		19	방	
08	relax		20	놀다, 경기하다	
09	evening		21	집; 집으로	
10	nice		22	모든, ~마다, 매 ~	
11	sleep		23	샤워	
12	wash				

24 get up

25 잠자리에 들다

STEP 2 **제대로 적용하기**

A
단어

주어진 동사의 과거형을 쓰시오.

01 play → _____

02 study → _____

03 hurry → _____

04 sleep → _____

B
구

우리말 의미에 맞게 빈칸에 알맞은 말을 쓰시오.

01 오늘 오전에   this _____

02 저녁에   in the _____

03 밤에   at _____

04 좋은 습관   a good _____

05 일기를 쓰다   keep a _____

06 집에 가다   go _____

C
문장

빈칸에 알맞은 말을 넣어 문장을 완성하시오.

01 Did you _____ your teeth? 너는 이를 닦았니?

02 I like to _____ baseball. 나는 야구를 하는 것을 좋아한다.

03 She is _____ with her homework. 그녀는 그녀의 숙제로 바쁘다.

04 You should _____ _____ early. 너는 일찍 일어나야 한다.

05 I take a shower _____ _____. 나는 매일 샤워를 한다.

06 What time do you _____ _____ _____?
    너는 몇 시에 잠자리에 드니?

가족

들으며 외우기

01 **family**
[fǽməli]

명 가족, 가정

There are four people in my **family**.
우리 **가족**은 네 명이다.

---

02 **father**
[fáːðər]

명 아버지

The man in the picture is my **father**.
사진 속의 그 남자는 우리 **아버지**이다.

dad 명 아빠

---

03 **mother**
[mʌ́ðər]

명 어머니

My **mother** loves reading.
우리 **어머니**는 독서를 아주 좋아하신다.

mom 명 엄마

---

04 **brother**
[brʌ́ðər]

명 남자 형제(형, 오빠, 남동생)

Her little **brother** is cute. 그녀의 **남동생**은 귀엽다.

---

05 **sister**
[sístər]

명 여자 형제(누나, 언니, 여동생)

Do you have any brothers or **sisters**?
너는 남자 형제나 **여자 형제**가 있니?

---

06 **marry**
[mǽri]

동 ~와 결혼하다

Tom **married** Alice last year.
Tom은 작년에 Alice**와 결혼했다.**

married 형 결혼한

🎈 시험 POINT   **marry의 쓰임**

우리말을 영어로 바르게 옮긴 것을 고르시오.

저와 결혼해 줄래요?

ⓐ Will you marry me?
ⓑ Will you marry with me?

'~와 결혼하다'라고 할
때 marry 뒤에 with를
쓰지 않도록 주의한다.

정답 ⓐ

07 parent
[pέərənt]

명 부모 (중 한 사람)

I love my **parents**. 나는 **부모님**을 사랑한다.

아버지와 어머니 두 분을 모두 가리킬 때는 복수형 parents로 써요.

---

08 son
[sʌn]

명 아들

This is my **son**, John. 이 애는 내 **아들** John입니다.

---

09 daughter
[dɔ́:tər]

명 딸

Their **daughter** became a singer.
그들의 **딸**은 가수가 되었다.

daughter의 gh는 소리가 나지 않는 묵음이므로 발음과 철자에 주의하세요.

---

10 twin
[twin]

명 쌍둥이 (중 한 사람) 형 쌍둥이의

Amy and Emily are **twins**. Amy와 Emily는 **쌍둥이**다.
He is my **twin** brother. 그는 내 **쌍둥이** 남동생이야.

---

11 husband
[hʌ́zbənd]

명 남편

Her **husband** is American. 그녀의 **남편**은 미국 사람이다.

---

12 wife
[waif]

명 아내, 부인

His **wife** is a doctor. 그의 **아내**는 의사이다.

---

13 grandparent
[grǽndpὲərənt]

할아버지와 할머니
명 조부모 (중 한 사람)

My **grandparents** live in Jeju-do.
나의 **조부모님**은 제주도에 사신다.

➕ grandfather 할아버지   grandmother 할머니

할아버지와 할머니 두 분을 모두 가리킬 때는 복수형 grandparents로 써요.

14 visit
[vízit]

동 방문하다, 찾아가다

I **visited** my grandparents yesterday.
나는 어제 조부모님을 **찾아뵀었다.**

visitor
명 방문객, 손님

---

15 welcome
[wélkəm]

감 환영합니다! 동 환영하다, 맞이하다

Welcome to my house! 우리 집에 오신 것을 **환영합니다!**
He **welcomed** us warmly. 그는 우리를 따뜻하게 **맞이했다.**

고맙다는 말에 대한 대답
으로 You're welcome.
(별말씀을요.)이라고 말
할 수 있어요.

---

16 uncle
[ʌ́ŋkl]

명 삼촌, 아저씨

I went fishing with my **uncle**.
나는 **삼촌**과 낚시를 러 갔다.

삼촌, 큰아버지, 고모부
등을 모두 가리켜 uncle
이라고 해요.

---

17 aunt
[ænt]

명 고모, 이모, 숙모

My **aunt** lives in Busan. 우리 **이모**는 부산에 사신다.

---

18 cousin
[kʌ́zn]

명 사촌

Harry and I are **cousins**. Harry와 나는 **사촌**이다.

---

19 relative
[rélətiv]

명 친척

We have some **relatives** in Spain.
우리는 스페인에 **친척들**이 몇 명 있다.

🎈 시험 POINT   가족 및 친척의 영어 호칭

〈보기〉에 주어진 말을 모두 포괄하는 단어를 고르시오.

보기	uncle	aunt	cousin

ⓐ parents   ⓑ relatives   ⓒ neighbors

삼촌, 고모[이모], 사촌
은 모두 '친척'이다.
ⓐ 부모 ⓒ 이웃

정답 ⓑ

20 name
[neim]

명 이름

My **name** is Roy Kim. 내 **이름**은 Roy Kim이다.

➕ first **name** (성을 뺀) 이름
last[family] **name** 성

21 pet
[pet]

명 애완동물

I have two **pets**. 나는 **애완동물**이 두 마리 있다.

22 dear
[diər]

형 1. (편지 첫머리에) ~에게[께]   2. 소중한

Dear Bob, Bob에게,

Anna is my **dear** friend. Anna는 나의 **소중한** 친구이다.

23 also
[ɔ́ːlsou]

부 또한, ~도

My mother is a teacher and **also** a writer.
우리 어머니는 선생님이시고 **또한** 작가이시다.

교과서 필수 암기 숙어 ....

24 take care of

~을 돌보다

He **takes care of** his brothers after school.
그는 방과 후에 그의 남동생들을 **돌본다**.

25 have a good time

즐거운 시간을 보내다

We **had a good time** together yesterday.
우리는 어제 함께 **즐거운 시간을 보냈다**.

Daily Test

[01-25] 영어는 우리말로, 우리말은 영어로 쓰시오.

01	visit		13	이름
02	father		14	~에게[께]; 소중한
03	pet		15	딸
04	uncle		16	쌍둥이 (중 한 사람)
05	marry		17	누나, 언니, 여동생
06	also		18	부모 (중 한 사람)
07	relative		19	환영하다, 맞이하다
08	wife		20	남편
09	son		21	가족, 가정
10	brother		22	고모, 이모, 숙모
11	mother		23	조부모 (중 한 사람)
12	cousin			

24   have a good time

25   ~을 돌보다

STEP 2 제대로 적용하기

A
단어

빈칸에 알맞은 단어를 써서 Family Tree(가계도)를 완성하시오.

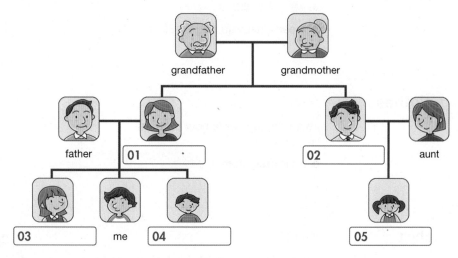

B
구

우리말 의미에 맞게 빈칸에 알맞은 말을 쓰시오.

01 나의 쌍둥이 여동생   my ＿＿＿＿＿＿＿＿＿ sister

02 나의 소중한 친구   my ＿＿＿＿＿＿＿＿＿ friend

03 (성을 뺀) 이름   first ＿＿＿＿＿＿＿＿＿

C
문장

빈칸에 알맞은 말을 넣어 문장을 완성하시오.

01 ＿＿＿＿＿＿＿＿ to Korea! 한국에 오신 것을 환영합니다!

02 They have a ＿＿＿＿＿＿. 그들은 딸이 하나 있다.

03 I can ＿＿＿＿＿＿ ＿＿＿＿＿＿ of my sister.
    나는 내 여동생을 돌볼 수 있다.

04 Did you have a ＿＿＿＿＿＿ ＿＿＿＿＿＿ at the party?
    너는 파티에서 즐거운 시간을 보냈니?

의복

들으며 외우기

01 wear
[wɛər]
wore-worn

동 (옷·신발·모자 등을) **입고[신고/쓰고] 있다**

Jane is **wearing** a long coat.
Jane은 긴 코트를 **입고** 있다.

➕ **wear** glasses[a hat] 안경을[모자를] 쓰다

---

02 clothes
[klouðz]

명 **옷**

I want to buy some new **clothes**.
나는 새 **옷**을 좀 사고 싶다.

➕ a **clothes** store 옷 가게

---

03 shirt
[ʃəːrt]

명 **셔츠**

I'm looking for a **shirt**. 저는 **셔츠**를 찾고 있어요.

➕ a T-shirt 티셔츠

---

04 sweater
[swétər]

명 **스웨터**

This **sweater** is warm. 이 **스웨터**는 따뜻하다.

---

05 skirt
[skəːrt]

명 **치마, 스커트**

She bought a short **skirt**. 그녀는 짧은 **치마**를 샀다.

---

06 dress
[dres]

명 **드레스, 원피스**

My sister gave me a **dress**.
우리 언니가 나에게 **원피스**를 줬다.

➕ a wedding **dress** 웨딩드레스

우리가 '원피스'라고 부르는 옷의 올바른 영어 표현은 dress예요.

07 jacket
[ʤǽkit]

명 재킷

He wore a black **jacket**. 그는 검은 **재킷**을 입었다.

08 uniform
[júːnifɔ̀ːrm]

명 제복, 유니폼

I like my school **uniform**. 나는 내 교복이 마음에 든다.

➕ a school **uniform** 교복

09 pants
[pænts]

명 바지

These **pants** are too small for me.
이 **바지**는 나에게 너무 작다.

바지는 두 갈래로 갈라져 있기 때문에 항상 복수형 pants로 써요.

> 시험 POINT **항상 복수형으로 쓰는 명사**
>
> 네모 안에서 알맞은 것을 고르시오.
> He always wears black | pant / pants |.
> 그는 항상 검은 바지를 입는다.

바지는 항상 복수형으로 쓴다.

정답 pants

10 jeans
[ʤiːnz]

명 청바지

She usually wears **jeans** and a T-shirt.
그녀는 보통 **청바지**와 티셔츠를 입는다.

청바지도 항상 복수형 jeans로 써요.

11 sock
[sɑːk]

명 양말 (한 짝)

I found a **sock** under the bed.
나는 침대 밑에서 **양말** 한 짝을 발견했다.

양말 두 짝을 가리킬 때 는 복수형 socks로 써요.

12 shoe
[ʃuː]

명 신발 (한 짝)

His **shoes** are old. 그의 **신발**은 낡았다.

신발 두 짝을 가리킬 때 는 복수형 shoes로 써요.

13 glove
[glʌv]

명 장갑 (한 짝)

It's cold outside. You need to wear **gloves**.
밖이 추워. 너는 **장갑**을 껴야 해.

➕ a baseball **glove** 야구 글러브

장갑 두 짝을 가리킬 때 는 복수형 gloves로 써요.

14 pair
[pɛər]

명 한 쌍, 한 켤레, 한 벌

He bought a **pair** of pants yesterday.
그는 어제 바지 한 벌을 샀다.

➕ a **pair** of shoes[socks/gloves]
신발[양말/장갑] 한 켤레

pair는 shoes, socks, gloves처럼 두 개가 한 쌍을 이뤄 함께 사용되는 것의 개수를 나타낼 때 써요.

> **시험 POINT** pair를 이용한 표현
>
> 그림을 보고, 네모 안에서 알맞은 것을 고르시오.
>
> a pair of | sock / socks |

a pair of 다음에는 복수형을 쓴다.

정답 socks

15 cap
[kæp]

명 (챙이 앞에만 달린) 모자

How many **caps** do you have? 너는 모자가 몇 개 있니?

➕ a baseball **cap** 야구 모자

16 hat
[hæt]

명 (챙이 둥글게 달린) 모자

I bought a **hat** for my grandmother.
나는 할머니께 모자를 사 드렸다.

17 scarf
[skɑːrf]
복수형 scarves

명 스카프, 목도리

This **scarf** is very soft. 이 스카프는 매우 부드럽다.

18 belt
[belt]

명 허리띠, 벨트

I need a new **belt**. 나는 새 허리띠가 필요해.

➕ a seat **belt** 안전벨트

19 bag
[bæg]

명 가방

She put some books in her **bag**.
그녀는 가방 안에 책 몇 권을 넣었다.

➕ a paper **bag** 종이 가방

20 pocket
[páːkit]

명 주머니

The jacket has two **pockets**.
그 재킷은 **주머니**가 두 개 있다.

---

21 tie
[tai]

명 넥타이　동 매다, 묶다

He wears a **tie** every day. 그는 매일 **넥타이**를 착용한다.
She **tied** a scarf around her neck.
그녀는 목에 스카프를 **맸다**.

---

22 design
[dizáin]

동 디자인하다, 설계하다　명 디자인, 설계

My aunt **designed** the clothes.
우리 고모가 그 옷을 **디자인했다**.
I like the **design** of this bag.
나는 이 가방의 **디자인**이 마음에 든다.

designer
명 디자이너

design, designer의 g는
소리가 나지 않는 묵음이
므로 발음과 철자에 주의
하세요.

---

23 fashion
[fǽʃən]

명 패션, 의류업

He is a **fashion** designer. 그는 **패션** 디자이너이다.
➕ a **fashion** show 패션쇼

교과서 필수 암기 숙어

24 put on

~을 입다[신다/쓰다]

She **put on** her coat. 그녀는 코트를 입었다.
비교 put on은 입는 동작을 나타내고, wear는 착용한 상태를 나타내요.

---

25 take off

날기 위해 땅에서 떠오르다

1. ~을 벗다　2. (비행기가) 이륙하다

Please **take off** your shoes. 신발을 벗으세요.
The plane will **take off** at 9:30 a.m.
그 비행기는 오전 9시 30분에 **이륙할** 것이다.

Daily Test

[01-25] 영어는 우리말로, 우리말은 영어로 쓰시오.

01	hat		13	옷	
02	pants		14	재킷	
03	bag		15	디자인하다; 디자인	
04	fashion		16	한 쌍, 한 켤레, 한 벌	
05	sweater		17	셔츠	
06	tie		18	신발 (한 짝)	
07	pocket		19	허리띠, 벨트	
08	glove		20	청바지	
09	wear		21	치마, 스커트	
10	sock		22	(챙이 앞에만 달린) 모자	
11	uniform		23	스카프, 목도리	
12	dress				

24	put on	
25	~을 벗다, 이륙하다	

STEP 2 제대로 적용하기

A

단어

그림을 보고, 알맞은 단어를 쓰시오.

01

02

03

_____

_____

_____

B

구

우리말 의미에 맞게 빈칸에 알맞은 말을 쓰시오.

01 교복   a school _____

02 안전벨트   a seat _____

03 양말 한 켤레   a _____ of socks

04 옷 가게   a _____ store

05 야구 모자   a baseball _____

C

문장

빈칸에 알맞은 말을 넣어 문장을 완성하시오.

01 I _____ glasses.   나는 안경을 쓴다.

02 She _____ _____ her gloves.   그녀는 장갑을 꼈다.

03 My brother can't _____ his shoes.   내 남동생은 신발 끈을 매지 못한다.

04 You should _____ _____ your hat.   당신은 모자를 벗어야 합니다.

05 He bought a new _____ and _____.
그는 새 셔츠와 청바지를 샀다.

DAY 04 식사

들으며 외우기

01 breakfast
[brékfəst]

명 아침 식사

I have **breakfast** at 8. 나는 8시에 **아침**을 먹는다.

➕ have[eat] **breakfast** 아침을 먹다

> 🎈 **시험 POINT** '아침을 먹다'의 영어 표현
>
> 네모 안에서 알맞은 것을 고르시오.
>
> He didn't | have breakfast / have a breakfast |.
>
> 그는 아침을 먹지 않았다.

어휘력 UPGRADE

'아침을 먹다'라고 할 때 breakfast 앞에 a 를 쓰지 않는다.

정답 have breakfast

---

02 lunch
[lʌntʃ]

명 점심 식사

What did you have for **lunch**?

너는 **점심**으로 무엇을 먹었니?

➕ for **lunch** 점심 식사로, 점심으로

---

03 dinner
[dínər]

명 저녁 식사

What time do you usually have **dinner**?

너는 보통 몇 시에 **저녁**을 먹니?

---

04 eat
[i:t]
ate-eaten

동 먹다

I **ate** a salad for breakfast.

나는 아침으로 샐러드를 **먹었다.**

---

05 drink
[driŋk]
drank-drunk

동 마시다   명 음료, 마실 것

She **drinks** milk every morning.

그는 아침마다 우유를 **마신다.**

➕ a hot[cold] **drink** 뜨거운[차가운] 음료

06 **food**
[fu:d]

명 음식

Do you like Chinese **food**? 너는 중국 음식을 좋아하니?

➕ fast **food** 패스트푸드

07 **spoon**
[spu:n]

명 숟가락

She ate the ice cream with a **spoon**.
그녀는 숟가락으로 아이스크림을 먹었다.

08 **fork**
[fɔ:rk]

명 포크

He used a **fork** to eat the spaghetti.
그는 스파게티를 먹기 위해 포크를 사용했다.

09 **knife**
[naif]
복수형 knives

명 칼, 나이프

I cut the bread with a **knife**. 나는 칼로 빵을 잘랐다.

knife의 k는 소리가 나지 않는 묵음이므로 발음과 철자에 주의하세요.

10 **meat**
[mi:t]

명 고기, 육류

Emily doesn't eat **meat**. Emily는 고기를 먹지 않는다.

11 **chicken**
[tʃíkən]

명 닭고기, 닭

I made a **chicken** sandwich.
나는 닭고기 샌드위치를 만들었다.

12 **beef**
[bi:f]

명 소고기

We had **beef** for dinner.
우리는 저녁으로 소고기를 먹었다.

13 **pork**
[pɔ:rk]

명 돼지고기

Do you want beef or **pork**?
소고기를 원하세요, 아니면 돼지고기를 원하세요?

pig는 '돼지', pork는 '돼지고기'를 뜻해요.

14 water
[wɔ́ːtər]

명 물 동 (식물 등에) 물을 주다

Can I have some **water**? 물 좀 마실 수 있을까요?

She **watered** the flowers. 그녀는 꽃에 **물을 줬다**.

---

15 rice
[rais]

명 쌀, 밥

He cooked **rice** for dinner. 그는 저녁에 먹을 **밥**을 했다.

---

16 bread
[bred]

명 빵

Ms. White bakes **bread** every day.

White 씨는 매일 **빵**을 굽는다.

> 🎈 **시험 POINT**　복수형으로 쓰지 않는 명사
>
> 우리말을 영어로 바르게 옮긴 것을 고르시오.
>
> 나는 빵을 조금 먹었다.
>
> ⓐ I ate some bread.
> ⓑ I ate some breads.
>
> bread는 셀 수 없는 명사이므로, 복수형을 나타내는 -s를 붙이지 않는다.
>
> 정답 ⓐ

---

17 tea
[tiː]

명 (음료) 차

Be careful. This **tea** is very hot.

조심해. 이 **차**는 매우 뜨거워.

➕ a cup of **tea** 차 한 잔

---

18 snack
[snæk]

명 간식, 간단한 식사

I had a **snack** before lunch.

나는 점심 전에 **간식**을 먹었다.

---

19 prepare
[pripέər]

동 준비하다

Dad is **preparing** breakfast.

아빠는 아침 식사를 **준비하고** 계신다.

20 delicious
[dilíʃəs]

형 아주 맛있는

유의어 tasty

The food was **delicious**. 그 음식은 **아주 맛있었다**.

21 sweet
[swiːt]

형 달콤한, 단   명 단것, 사탕

The chocolate tastes **sweet**. 그 초콜릿은 **단맛이 난다**.
I love **sweets**. 나는 **단것**을 아주 좋아한다.

22 salty
[sɔ́ːlti]

형 짠, 짭짤한

salt 명 소금

The soup is too **salty**. 그 수프는 너무 **짜다**.

23 spicy
[spáisi]

형 매운, 매콤한

유의어 hot

I like **spicy** food. 나는 **매운** 음식을 좋아한다.

교과서 필수 암기 숙어

24 eat out

외식하다

We **eat out** every Friday evening.
우리는 금요일 저녁마다 **외식한다**.

25 set the table

상을 차리다

Mom **set the table** for breakfast.
엄마가 아침**상을 차리셨다**.

Daily Test

[01-25] 영어는 우리말로, 우리말은 영어로 쓰시오.

01	spoon		13	아침 식사	
02	dinner		14	포크	
03	meat		15	돼지고기	
04	sweet		16	물; 물을 주다	
05	beef		17	음식	
06	prepare		18	빵	
07	tea		19	마시다; 음료, 마실 것	
08	delicious		20	짠, 짭짤한	
09	eat		21	닭고기, 닭	
10	lunch		22	쌀, 밥	
11	spicy		23	간식, 간단한 식사	
12	knife				

24   eat out

25   상을 차리다

STEP 2　제대로 적용하기

A
단어

주어진 동사의 과거형을 쓰시오.

01　eat　　→ _____

02　drink　→ _____

03　prepare　→ _____

B
구

우리말 의미에 맞게 빈칸에 알맞은 말을 쓰시오.

01　차 한 잔　　　　a cup of _____

02　차가운 음료　　a cold _____

03　점심을 먹다　　have _____

04　매운 음식　　　_____ food

05　아침 식사로　　for _____

06　닭고기 샌드위치　a _____ sandwich

C
문장

빈칸에 알맞은 말을 넣어 문장을 완성하시오.

01　He baked some _____.　그는 빵을 조금 구웠다.

02　Let's _____ _____ tonight.　오늘 밤에 외식하자.

03　This cake is very _____.　이 케이크는 매우 맛있다.

04　I _____ the flowers every day.　나는 매일 꽃에 물을 준다.

05　Can you _____ _____ _____ for dinner?
　　저녁상을 차려 줄래요?

행동

들으며 외우기

01 go
[gou]
went-gone

동 가다

I **went** to the park. 나는 공원에 **갔다**.

---

02 come
[kʌm]
came-come

동 오다

Come here. 여기로 **오세요**.

상대방이 있는 곳으로 가고 있을 때 '가는 중이야.'는 I'm coming.이라고 말해요.

---

03 read
현재형 [riːd]
과거·과거분사형 [red]
read-read

동 읽다

He is **reading** the newspaper.
그는 신문을 **읽고** 있다.

현재형 read와 과거·과거분사형 read는 철자는 같지만 발음이 다르니 주의하세요.

🎈 **시험 POINT** | **read의 과거형**

네모 안에서 알맞은 것을 고르시오.
She │ read / reads │ a book yesterday.
그녀는 어제 책 한 권을 읽었다.

주어가 3인칭 단수지만 현재시제가 아니므로 reads를 쓸 수 없다.

정답 read

---

04 write
[rait]
wrote-written

동 (글 등을) 쓰다

She **writes** children's stories. 그녀는 동화를 **쓴다**.

writer 명 작가

---

05 use
[juːz]

동 사용하다

Can I **use** your phone? 네 전화기를 **사용해도** 될까?

---

06 try
[trai]
tried-tried

동 노력하다, 해보다

You should **try** hard. 너는 열심히 **노력해야** 해.

07 **have**
[hæv]
had-had

동 1. 가지고 있다 2. 먹다, 마시다

He **has** a bike. 그는 자전거를 **가지고 있다**.
I'll **have** a cheeseburger. 저는 치즈버거를 **먹을게요**.

주어가 3인칭 단수이고 현재시제일 때는 have 대신 has를 써요.

---

08 **open**
[óupən]

동 열다 형 열린

Open the door. 문을 **열어라**.
The window is **open**. 창문이 **열려** 있다.

---

09 **close**
동사 [klouz]
형용사 [klous]

동 닫다 형 1. 가까운 2. 친한

The store **closes** at 9 p.m.
그 가게는 오후 9시에 문을 **닫는다**.
My house is **close** to the school.
우리 집은 학교와 **가깝다**.
Harry and Ron are **close** friends.
Harry와 Ron은 **친한** 친구이다.

반의어 open 열다

동사 close와 형용사 close의 발음이 달라요.

---

10 **start**
[staːrt]

동 시작하다

He **started** to sing. 그는 노래하기 **시작했다**.

유의어 begin

---

11 **end**
[end]

동 끝나다, 끝내다 명 끝

The class **ended** at 2 p.m. 수업이 오후 2시에 **끝났다**.
● the **end** of the book 그 책의 결말

반의어 start, begin

---

12 **finish**
[fíniʃ]

동 끝내다, 마치다

I **finished** my homework. 나는 숙제를 **끝냈다**.

---

13 **make**
[meik]
made-made

동 만들다

Can you **make** popcorn from corn?
당신은 옥수수로 팝콘을 **만들** 수 있나요?

14 act
[ækt]

동 1. 행동하다 2. 연기하다

Don't **act** like a child. 아이처럼 **행동하지** 마.
She **acted** in the movie. 그녀는 그 영화에서 **연기했다.**

actor 명 배우
actress 명 여배우

---

15 stop
[stɑːp]
stopped-stopped

동 멈추다, 그만두다 명 정류장

They **stopped** talking. 그들은 이야기하는 것을 **멈췄다.**
The next **stop** is City Hall. 다음 **정류장**은 시청입니다.
➕ a bus **stop** 버스 정류장

---

16 put
[put]
put-put

동 놓다, 두다

She **put** the key on the table.
그녀는 열쇠를 탁자 위에 **놓았다.**

---

17 carry
[kǽri]
carried-carried

동 1. 나르다 2. 가지고 다니다

He is **carrying** a box. 그는 상자를 **나르고** 있다.
She always **carries** a mirror with her.
그녀는 항상 거울을 **가지고 다닌다.**

---

18 take
[teik]
took-taken

동 (물건을) 가져가다, (사람을) 데려가다

Take an umbrella with you. 우산을 **가져가라.**
I'll **take** you home. 내가 너를 집에 **데려다줄게.**

---

19 bring
[briŋ]
brought-brought

동 (물건을) 가져오다, (사람을) 데려오다

Did you **bring** an umbrella? 너는 우산을 **가져왔니?**
Can I **bring** my friends? 제 친구들을 **데려와도** 돼요?

20 **pick**
[pik]

동 1. 고르다, 선택하다   2. (꽃을) 꺾다, (과일을) 따다

I **picked** the pink T-shirt. 나는 분홍색 티셔츠를 **골랐다.**
We **picked** some apples. 우리는 사과를 몇 개 **땄다.**

유의어 **choose**
고르다, 선택하다

---

21 **keep**
[ki:p]
kept-kept

동 1. 유지하다   2. 계속 ~하다

Keep your room clean. 네 방을 깨끗하게 **유지해라.**
I **kept** thinking about her. 나는 그녀를 **계속** 생각**했다.**

➕ **keep** -ing 계속 ~하다

🎈 시험 POINT   '계속 ~하다'의 영어 표현

네모 안에서 알맞은 것을 고르시오.
He kept │ to talk / talking │ to us.
그는 우리에게 계속 이야기했다.

'계속 ~하다'는 keep
-ing로 쓴다.
정답 talking

---

22 **cover**
[kʌ́vər]

동 덮다, 가리다

She **covered** her face with her hands.
그녀는 손으로 얼굴을 **가렸다.**

교과서 필수 암기 숙어

23 **line up**

줄을 서다

Please **line up** here. 여기에 줄을 서세요.

---

24 **pick up**

1. ~을 집어 들다   2. ~을 차로 데리러 가다

She **picked up** a pencil. 그녀는 연필을 집어 들었다.
I'll **pick** you **up**. 내가 너를 차로 데리러 갈게.

---

25 **stop by**

(~에) 잠시 들르다

I'll **stop by** the store. 나는 그 가게에 잠시 들를 것이다.

Daily Test

[01-25] 영어는 우리말로, 우리말은 영어로 쓰시오.

01 make

02 put

03 pick

04 finish

05 go

06 read

07 start

08 act

09 have

10 carry

11 come

12 (글 등을) 쓰다

13 사용하다

14 끝나다; 끝

15 멈추다; 정류장

16 노력하다, 해보다

17 열다; 열린

18 닫다; 가까운, 친한

19 유지하다, 계속 ~하다

20 덮다, 가리다

21 가져가다, 데려가다

22 가져오다, 데려오다

23 pick up

24 stop by

25 줄을 서다

STEP 2 제대로 적용하기

A
단어

주어진 동사의 과거형을 쓰시오.

01 go → _____   02 come → _____

03 make → _____   04 put → _____

05 read → _____   06 write → _____

07 take → _____   08 bring → _____

B
구

우리말 의미에 맞게 빈칸에 알맞은 말을 쓰시오.

01 열심히 노력하다   _____ hard

02 창문을 열다   _____ the window

03 버스 정류장   a bus _____

04 친한 친구   a _____ friend

C
문장

보기 에서 알맞은 말을 골라 문장을 완성하시오.

보기	line	pick	kept	stop	have

01 What did you _____ for lunch? 너는 점심으로 무엇을 먹었니?

02 Can you _____ up the pen for me? 그 펜 좀 주워 줄 수 있니?

03 He _____ thinking about the plan. 그는 그 계획에 대해 계속 생각했다.

04 I'll _____ by your house tomorrow. 내가 내일 너희 집에 잠시 들를게.

05 Students should _____ up for lunch.
학생들은 점심을 먹기 위해 줄을 서야 한다.

01 단어의 성격이 나머지 넷과 <u>다른</u> 것은?

① son
② daughter
③ home
④ parent
⑤ grandparent

02 동사와 그 과거형이 <u>잘못</u> 짝지어진 것은? 🔗 **DAY 01, 05** 시험 POINT

① eat – ate
② put – put
③ wear – wore
④ read – readed
⑤ study – studied

03 빈칸에 공통으로 들어갈 단어로 알맞은 것은?

• I like to _____ baseball.
• Don't _____ the piano at night.

① visit
② play
③ drink
④ make
⑤ carry

04 빈칸에 들어갈 말이 순서대로 짝지어진 것은?

• Put _____ your coat.
• She took care _____ her children at home.

① on – of
② on – for
③ on – with
④ with – of
⑤ with – for

05 밑줄 친 단어와 바꿔 쓸 수 있는 것은?

> There are five cards. You have to pick one.

① try ② cover ③ finish
④ prepare ⑤ choose

06 밑줄 친 표현의 쓰임이 어색한 것은? ⸾ DAY 02 시험 POINT

① Let's go home now.
② He is my twin brother.
③ She had a cup of tea.
④ I read a book every week.
⑤ He is going to marry with Jane.

07 각 네모 (A)와 (B)에서 알맞은 단어를 골라 쓰시오. ⸾ DAY 03, 04 시험 POINT

서술형

> • She bought a pair of (A) glove / gloves.
> • I baked some (B) bread / breads.

(A) _____   (B) _____

08 우리말과 일치하도록 주어진 단어를 사용하여 문장을 완성하시오. ⸾ DAY 04 시험 POINT

서술형

> 그는 보통 7시 30분에 아침을 먹는다. (have)

→ He usually _____ at 7:30.

PART 2

사람

들으며 외우기

01 **baby**
[béibi]

명 아기

The **baby** is crying. 아기가 울고 있다.

---

02 **boy**
[bɔi]

명 남자아이, 소년

Two **boys** are playing with a ball.
두 **남자아이들**이 공을 가지고 놀고 있다.

---

03 **girl**
[gəːrl]

명 여자아이, 소녀

The **girl** is my sister. 그 **여자아이**는 내 여동생이다.

---

04 **man**
[mæn]
복수형 men

명 (성인) 남자

A young **man** saved a little girl.
한 젊은 **남자**가 어린 여자아이를 구했다.

man에는 성별에 관계
없이 '사람, 인간'이라는
뜻도 있어요.

---

05 **woman**
[wúmən]
복수형 women

명 (성인) 여자

Who is that **woman** in the red coat?
빨간 코트를 입은 저 **여자**는 누구니?

---

06 **lady**
[léidi]

명 여성분, 숙녀 ⌐ 여성을 정중하게 부르는 말

I helped an old **lady** on the street.
나는 길에서 한 노**부인**을 도와드렸다.

'영부인(대통령의 부인)'
을 the First Lady라고
불러요.

---

07 **gentleman**
[dʒéntlmən]
복수형 gentlemen

명 남성분, 신사 ⌐ 남성을 정중하게 부르는 말

Good evening, ladies and **gentlemen**!
안녕하십니까, **신사** 숙녀 여러분!

man의 복수형이 men인
것처럼 gentleman의 복
수형은 gentlemen이에
요.

08 people
[píːpl]

명 사람들

There are five **people** in the room.
방에 다섯 명의 **사람들**이 있다.

> 시험 POINT　복수 명사 people
>
> 네모 안에서 알맞은 것을 고르시오.
> Eight | people / peoples | died in the accident.
> 여덟 명의 사람들이 그 사고로 죽었다.

people은 그 자체로 복수의 의미이므로 -s 를 붙이지 않는다.

정답 people

---

09 person
[pɔ́ːrsn]
복수형 people

명 (개개의) 사람, 개인

He is a really nice **person**.
그는 정말 좋은 **사람**이다.

personal
형 개인의, 개인적인

한 사람은 person, 두 사람 이상은 people이라고 해요.

---

10 king
[kiŋ]

명 왕

King Sejong created Hangeul.
세종**대왕**은 한글을 창제했다.

---

11 queen
[kwiːn]

명 여왕

The **queen** will visit the town.
그 **여왕**은 그 마을을 방문할 것이다.

---

12 prince
[prins]

명 왕자

The **prince** will become the next king.
그 **왕자**가 다음 왕이 될 것이다.

---

13 princess
[prínses]

명 공주

The **princess** was brave. 그 **공주**는 용감했다.

14 angel
[éindʒəl]

명 천사

I saw an **angel** in my dream. 나는 꿈에서 **천사**를 보았다.

---

15 neighbor
[néibər]

명 이웃, 이웃 사람

Hi, I'm your new **neighbor**.
안녕하세요, 저는 당신의 새 **이웃**입니다.

neighbor의 gh는 소리가 나지 않는 묵음이므로 발음과 철자에 주의하세요.

---

16 group
[gru:p]

명 무리, 집단, 그룹

She met a **group** of students.
그녀는 한 **무리**의 학생들을 만났다.

➕ a **group** of 한 무리의 ~

---

17 leader
[líːdər]

명 지도자, 리더

I'm the **leader** of the study group.
나는 그 공부 모임의 **리더**이다.

➕ a group **leader** 조장

lead
동 지도하다, 이끌다

---

18 member
[mémbər]

명 회원, 구성원

He is a **member** of the tennis club.
그는 그 테니스 동아리의 **회원**이다.

➕ a family **member** 가족 구성원

---

19 master
[mǽstər]

명 달인, 대가
동 완전히 익히다, 숙달하다 ⌐ 어떤 일에 익숙해지다

She is a **master** of writing short stories.
그녀는 단편 소설 쓰기의 **달인**이다.

He **mastered** some soccer skills.
그는 몇 가지 축구 기술을 완전히 **익혔다**.

20 owner
[óunər]

명 주인, 소유주

The **owner** of the restaurant welcomed us.
그 식당의 **주인**은 우리를 반겨주었다.

own 동 소유하다,
가지고 있다

own(소유하다)+-er
(사람)

---

21 gather
[gǽðər]

동 모이다, 모으다

A lot of people **gathered** in the street.
많은 사람들이 거리에 **모였다**.

---

22 each
[i:tʃ]

형 각자의, 각각의   대 각자, 각각

Each girl has her own pet.
각 여자아이는 자신의 애완동물이 있다.

교과서 필수 암기 숙어

23 each other

서로

They love **each other**. 그들은 **서로**를 사랑한다.

---

24 come from

~ 출신이다, ~에서 오다

She **comes from** Canada. 그녀는 캐나다 **출신이다**.

유의어 be from

---

25 on my way home

집으로 가는 길에[도중에]

I met Jenny **on my way home**.
나는 **집으로 가는 길에** Jenny를 만났다.

> 시험 POINT '집으로 가는 길에'의 영어 표현
>
> 네모 안에서 알맞은 것을 고르시오.
> I saw a big dog on / to my way home.
> 나는 집으로 가는 길에 큰 개를 보았다.
>
> '길에'라는 우리말 때문에 혼동하여 to를 쓰지 않도록 주의한다.
>
> 정답 on

Daily Test

[01-25] 영어는 우리말로, 우리말은 영어로 쓰시오.

01	lady		12	남자아이, 소년	
02	people		13	(성인) 여자	
03	gather		14	각각의; 각각	
04	angel		15	지도자, 리더	
05	man		16	여왕	
06	girl		17	남성분, 신사	
07	member		18	아기	
08	person		19	공주	
09	owner		20	무리, 집단, 그룹	
10	king		21	이웃, 이웃 사람	
11	prince		22	달인; 완전히 익히다	

23	come from	
24	on my way home	
25	서로	

STEP 2 제대로 적용하기

A
단어

주어진 명사의 복수형을 쓰시오.

01 man   → _____   02 woman → _____

03 gentleman → _____   04 person → _____

B
구

우리말 의미에 맞게 빈칸에 알맞은 말을 쓰시오.

01 어린 여자아이   a little _____

02 가족 구성원   a family _____

03 조장   a group _____

04 새 이웃   a new _____

05 신사 숙녀 여러분   _____ and gentlemen

06 그 식당의 주인   the _____ of the restaurant

C
문장

빈칸에 알맞은 말을 넣어 문장을 완성하시오.

01 The _____ loved the princess. 그 왕자는 그 공주를 사랑했다.

02 Her mother comes _____ France. 그녀의 어머니는 프랑스 출신이다.

03 We must help _____ _____. 우리는 서로를 도와야 한다.

04 He teaches English to a _____ of children.
    그는 한 무리의 아이들에게 영어를 가르친다.

05 I called her on _____ _____ home.
    나는 집으로 가는 길에 그녀에게 전화했다.

동작

들으며 외우기

어휘력 UPGRADE

---

01 walk
[wɔːk]

동 1. 걷다 2. 산책시키다 명 걷기, 산책

I **walked** home after school.
나는 방과 후에 집으로 **걸어갔다**.

He **walks** his dog every day. 그는 매일 개를 **산책시킨다**.

➕ take a **walk** 산책하다

walk의 l은 소리가 나지 않는 묵음이므로 발음과 철자에 주의하세요.

---

02 run
[rʌn]
ran-run

동 달리다

Cheetahs **run** very fast. 치타는 매우 빨리 **달린다**.

runner 명 달리는 사람, 달리기 선수

---

03 jump
[dʒʌmp]

동 뛰어오르다, 점프하다

They **jumped** into the water.
그들은 물속으로 **뛰어들었다**.

---

04 kick
[kik]

동 (발로) 차다

He **kicked** the ball. 그는 공을 **찼다**.

---

05 sit
[sit]
sat-sat

동 앉다

He **sat** on the chair. 그는 의자에 **앉았다**.

➕ **sit** down 앉다

Sit down.은 주로 선생님이 학생에게, 혹은 부모가 아이에게 '앉아.'라고 명령할 때 쓰는 말이에요.

---

06 stand
[stænd]
stood-stood

동 서다

She was **standing** by the window.
그녀는 창가에 **서** 있었다.

➕ **stand** up 일어서다

---

07 move
[muːv]

동 1. 움직이다, 옮기다　2. 이사하다

Can you **move** this table? 이 탁자 좀 **옮겨** 줄래요?
They **moved** to Jeju-do. 그들은 제주도로 **이사했다.**

➕ **move** to ~로 이사하다

---

08 build
[bild]
built-built

동 짓다, 건설하다

They **built** a hotel in Busan.
그들은 부산에 호텔을 **지었다.**

building
명 건물, 빌딩

---

09 turn
[təːrn]

동 돌다, 돌리다　명 차례, 순서

Turn right at the corner. 모퉁이에서 오른쪽으로 **도세요.**
It's your **turn.** 네 **차례야.**

> 시험 POINT　**turn의 의미**
>
> 밑줄 친 단어의 의미로 알맞은 것을 고르시오.
> Look at this map. We should <u>turn</u> left.
> ⓐ 돌다　　ⓑ 차례
>
> 이 지도를 봐. 우리는 왼쪽으로 돌아야 해.
>
> 정답 ⓐ

---

10 push
[puʃ]

동 1. 밀다　2. (버튼 등을) 누르다

Stop **pushing** me! 나 좀 그만 **밀어요!**
He **pushed** the red button. 그는 빨간 버튼을 **눌렀다.**

---

11 pull
[pul]

동 끌다, 잡아당기다

The baby **pulled** my hair.
그 아기가 내 머리카락을 **잡아당겼다.**

---

12 break
[breik]
broke-broken

동 깨다, 부수다　명 휴식

He **broke** a glass. 그는 유리잔을 **깨뜨렸다.**
You should take a **break.** 너는 **휴식**을 취해야 해.

➕ take a **break** 휴식을 취하다, 잠시 쉬다

13 climb
[klaim]

동 오르다, 올라가다

The monkey **climbed** the tree.
그 원숭이는 나무를 **올라갔다**.

---

14 touch
[tʌtʃ]

동 1. 만지다, 건드리다 2. 감동시키다

Do not **touch** the pictures. 그림들을 **만지지** 마시오.
His story **touched** us. 그의 이야기는 우리를 **감동시켰다**.

'누군가의 마음을 건드려서(touch) 감동시키다 (touch)'로 외워 보세요.

---

15 throw
[θrou]
threw-thrown

동 던지다

He can **throw** a ball very fast.
그는 공을 매우 빨리 **던질** 수 있다.

---

16 catch
[kætʃ]
caught-caught

동 1. 잡다 2. (버스·기차 등을) 잡아타다

Catch the ball! 공을 **잡아**!
We couldn't **catch** the last train.
우리는 마지막 기차를 **잡아타지** 못했다.

> 시험 POINT **catch의 과거형**
>
> 네모 안에서 알맞은 것을 고르시오.
> He [catched / caught] a fish.
> 그는 물고기 한 마리를 잡았다.

catch의 과거형은 caught이다.

정답 caught

---

17 drop
[drɑːp]
dropped-dropped

동 떨어뜨리다, 떨어지다 명 (액체) 방울

He **dropped** a pen. 그는 펜을 **떨어뜨렸다**.
⊕ a **drop** of water 물 한 방울

---

18 hold
[hould]
held-held

동 잡고[들고] 있다

Can you **hold** this bag for me?
이 가방 좀 들고 있어 줄래요?

---

19 shake
[ʃeik]
shook-shaken

동 흔들리다, 흔들다

Don't **shake** the bottle. 그 병을 **흔들지** 마세요.

---

20 hit
[hit]
hit-hit

동 치다, 때리다, 부딪치다

The car **hit** a tree. 그 자동차는 나무에 **부딪쳤다**.

---

21 point
[pɔint]

동 가리키다
명 1. 핵심, 논점 2. 점수

She **pointed** at the sign. 그녀는 표지판을 **가리켰다**.
That's the **point**. 그것이 **핵심**이다.
He got two **points**. 그는 2점을 얻었다.

---

22 fall
[fɔːl]
fell-fallen

동 1. 떨어지다 2. 넘어지다
명 가을

An apple **fell** from a tree. 사과 하나가 나무에서 **떨어졌다**.
I **fell** on the ice. 나는 빙판 위에서 **넘어졌다**.
Fall is my favorite season.
가을은 내가 가장 좋아하는 계절이다.

'가을(fall)에는 나뭇잎이 떨어진다(fall)'로 외워 보세요.

---

23 quickly
[kwíkli]

부 빨리, 신속히

They ate very **quickly**. 그들은 매우 **빨리** 먹었다.

quick 형 빠른
유의어 fast 빨리
반의어 slowly 느리게

교과서 필수 암기 숙어

24 run after

~을 뒤쫓다[쫓아다니다]

The cat is **running after** the mouse.
고양이가 쥐를 **뒤쫓고** 있다.

---

25 get out of

~에서 나가다

Let's **get out of** here. 여기에서 나가자.

Daily Test

[01-25] 영어는 우리말로, 우리말은 영어로 쓰시오.

01	sit		13	던지다	
02	kick		14	걷다; 걷기, 산책	
03	build		15	밀다, 누르다	
04	run		16	끌다, 잡아당기다	
05	stand		17	만지다, 감동시키다	
06	hold		18	치다, 때리다, 부딪치다	
07	fall		19	빨리, 신속히	
08	catch		20	돌다, 돌리다; 차례	
09	shake		21	가리키다; 핵심, 점수	
10	climb		22	깨다, 부수다; 휴식	
11	drop		23	뛰어오르다, 점프하다	
12	move				

| 24 | run after | |
| 25 | ~에서 나가다 | |

STEP 2 제대로 적용하기

A
단어

주어진 동사의 과거형을 쓰시오.

01 run → ＿＿＿＿＿＿　　　02 break → ＿＿＿＿＿＿

03 throw → ＿＿＿＿＿＿　　　04 catch → ＿＿＿＿＿＿

05 shake → ＿＿＿＿＿＿　　　06 fall → ＿＿＿＿＿＿

07 hit → ＿＿＿＿＿＿　　　08 touch → ＿＿＿＿＿＿

B
구

우리말 의미에 맞게 빈칸에 알맞은 말을 쓰시오.

01 앉다 ＿＿＿＿＿＿ down

02 일어서다 ＿＿＿＿＿＿ up

03 오른쪽으로 돌다 ＿＿＿＿＿＿ right

04 휴식을 취하다 take a ＿＿＿＿＿＿

05 나무에 오르다 ＿＿＿＿＿＿ a tree

06 물 한 방울 a ＿＿＿＿＿＿ of water

C
문장

빈칸에 알맞은 말을 넣어 문장을 완성하시오.

01 I usually ＿＿＿＿＿＿ to school. 나는 보통 학교에 걸어간다.

02 ＿＿＿＿＿＿ out of my room! 내 방에서 나가!

03 When did she ＿＿＿＿＿＿ to Busan? 그녀는 언제 부산으로 이사했니?

04 He couldn't ＿＿＿＿＿＿ the last bus. 그는 마지막 버스를 잡아타지 못했다.

05 My dog likes to ＿＿＿＿＿＿ after me. 우리 개는 나를 쫓아다니는 것을 좋아한다.

신체

들으며 외우기

---

01 face
[feis]

명 **얼굴, 표정** 동 **마주 보다**

My sister has a pretty **face**. 내 여동생은 **얼굴**이 예쁘다.
They **faced** each other. 그들은 서로를 **마주 보았다.**
➕ **face** to **face** 얼굴을 맞대고, 마주 보고

'얼굴(face)을 마주 보다
(face)'로 외워 보세요.

---

02 eye
[ai]

명 **눈**

John has brown **eyes**. John은 **눈**이 갈색이다.
➕ open[close] one's **eyes** 눈을 뜨다[감다]

양쪽 눈을 가리킬 때는
복수형 eyes로 써요.

---

03 nose
[nouz]

명 **코**

Pinocchio has a long **nose**. 피노키오는 **코**가 길다.

---

04 ear
[iər]

명 **귀**

My dog has big **ears**. 우리 개는 **귀**가 크다.

양쪽 귀를 가리킬 때는
복수형 ears로 써요.

---

05 mouth
[mauθ]

명 **입**

Cover your **mouth** and nose with a mask.
마스크로 **입**과 코를 가리세요.

---

06 tooth
[tu:θ]
복수형 teeth

명 **이, 치아, 이빨**

The baby has one **tooth**. 그 아기는 **이**가 한 개 났다.
Her **teeth** are white. 그녀의 **치아**는 하얗다.
➕ brush one's **teeth** 이를 닦다

tooth

> 🗣 **시험 POINT** '이를 닦다'의 영어 표현
>
> 네모 안에서 알맞은 것을 고르시오.
> Brush your | tooth / teeth | three times a day.
> 하루에 세 번 **이**를 닦으세요.

'이를 닦다'라고 할 때
'이'는 복수형 teeth로
쓴다.

정답 teeth

07 **lip**
[lip]

명 입술

My **lips** often get dry. 내 **입술**은 자주 건조해진다.

08 **cheek**
[tʃiːk]

명 볼, 뺨

Her **cheeks** became red. 그녀의 **볼**이 빨개졌다.

09 **knee**
[niː]

명 무릎

I hurt my **knee**. 나는 **무릎**을 다쳤다.

10 **see**
[siː]
saw-seen

동 보다

Did you **see** Tom's new iPad? It's really nice.
Tom의 새 아이패드 **봤어**? 진짜 좋더라.

11 **smell**
[smel]

동 냄새가 나다, 냄새를 맡다 명 냄새

The soup **smells** delicious. 수프에서 맛있는 **냄새가 난다**.
What's that **smell**? 저게 무슨 **냄새**야?

12 **hear**
[hiər]
heard-heard

동 듣다, 들리다

He **heard** a strange sound. 그는 이상한 소리를 **들었다**.
I can't **hear** you. 나는 네 말이 **들리지** 않아.

13 **voice**
[vɔis]

명 목소리, 음성

I could hear **voices** in the next room.
옆방에서 **목소리**가 들렸다.

14 body
[bá:di]

명 몸, 신체

He has a big, strong **body**.
그는 크고 튼튼한 **몸**을 가지고 있다.

---

15 head
[hed]

명 머리, 고개

She turned her **head**. 그녀는 **고개**를 돌렸다.

➕ shake one's **head** 고개를 젓다

---

16 neck
[nek]

명 목

The cat had a ribbon around its **neck**.
그 고양이는 **목**에 리본을 매고 있었다.

---

17 shoulder
[ʃóuldər]

명 어깨

He put his hand on my **shoulder**.
그는 내 **어깨**에 그의 손을 올렸다.

---

18 arm
[ɑ:rm]

명 팔

Monkeys have long **arms**. 원숭이는 **팔**이 길다.

---

19 hand
[hænd]

명 손 동 건네주다

Your **hands** are cold. 네 손이 차다.

Please **hand** in your homework by Friday.
금요일까지 숙제를 **제출하세요**.

➕ **hand** in (과제 등을) 제출하다

'손(hand)으로 건네주다 (hand)'로 외워 보세요.

> 💡 **시험 POINT** hand의 의미
>
> 밑줄 친 단어의 의미를 골라 기호를 쓰시오.
>
> | 보기 | ⓐ 손 | ⓑ 건네주다 |
>
> 1. Hold my hand. _____
> 2. You should hand in your report today. _____
>
> 1. 내 손을 잡아.
> 2. 너는 오늘 보고서를 제출해야 한다.
>
> 정답 1. ⓐ 2. ⓑ

20 **finger**
[fíŋɡər]

명 손가락

He put the ring on her **finger**.
그는 그녀의 **손가락**에 반지를 끼웠다.

21 **leg**
[leg]

명 다리

She broke her **leg**. 그녀는 **다리**가 부러졌다.

22 **foot**
[fut]
복수형 feet

명 발

The baby's **feet** are very soft.
그 아기의 **발**은 매우 부드럽다.
They came here on **foot**. 그들은 걸어서 여기에 왔다.

➕ on **foot** 걸어서

23 **toe**
[tou]

명 발가락

I felt the sand between my **toes**.
나는 **발가락들** 사이로 모래를 느꼈다.

➕ from head to **toe** 머리부터 발끝까지

교과서 필수 암기 숙어

24 **shake hands with**

~와 악수를 하다

I **shook hands with** everybody.
나는 모두**와 악수를 했다**.

25 **give ~ a hand**

~을 도와주다

A Can you **give** me **a hand** with this box?
　이 상자를 드는 것**을 도와주실래요**?
B Sure. 물론이죠.

Daily Test

STEP 1 빈틈없이 확인하기

[01-25] 영어는 우리말로, 우리말은 영어로 쓰시오.

01	see		13	입	
02	arm		14	손; 건네주다	
03	leg		15	얼굴; 마주 보다	
04	tooth		16	머리, 고개	
05	lip		17	어깨	
06	hear		18	무릎	
07	toe		19	손가락	
08	foot		20	코	
09	eye		21	몸, 신체	
10	cheek		22	목소리, 음성	
11	neck		23	냄새가 나다; 냄새	
12	ear				

24	give ~ a hand	
25	~와 악수를 하다	

STEP 2   제대로 적용하기

A
단어

주어진 동사의 과거형을 쓰시오.

01 hear → _____

02 smell → _____

03 see → _____

B
구

우리말 의미에 맞게 빈칸에 알맞은 말을 쓰시오.

01 걸어서   on _____

02 ~을 제출하다   _____ in

03 튼튼한 몸   a strong _____

04 얼굴을 맞대고   _____ to _____

05 머리부터 발끝까지   from _____ to _____

C
문장

빈칸에 알맞은 말을 넣어 문장을 완성하시오.

01 She closed her _____. 그녀는 눈을 감았다.

02 He shook his _____. 그는 고개를 저었다.

03 I brushed my _____ after lunch. 나는 점심 식사 후에 이를 닦았다.

04 Please _____ me a hand. 저 좀 도와주세요.

05 Can you _____ me? 제 말 들리세요?

06 _____ hands with your friend. 친구와 악수를 해라.

감정 들으며 외우기

01 feel
[fiːl]
felt-felt

동 느끼다, ~한 기분이 들다

I **feel** good today. 나는 오늘 기분이 좋다.

> 시험 POINT **feel + 형용사**
>
> 네모 안에서 알맞은 것을 고르시오.
> This scarf feels soft / softly .
> 이 스카프는 부드럽게 느껴진다.

feeling
명 느낌, 감각

우리말로 '~하게'라고 해석되지만 feel 다음에는 형용사를 쓴다.
정답 soft

02 smile
[smail]

명 미소 동 미소 짓다

Julie has a beautiful **smile**. Julie는 미소가 아름답다.
He **smiled** at me. 그가 나에게 미소 지었다.

➕ **smile** at ~에게 미소 짓다

03 laugh
[læf]

동 (소리 내어) 웃다

They began to **laugh**. 그들은 웃기 시작했다.

laugh의 gh는 [f]로 발음되므로 발음과 철자에 주의하세요.

04 cry
[krai]

동 1. 울다 2. 외치다, 소리치다

Don't **cry**. It'll be okay. 울지 마. 괜찮을 거야.
"You are a liar!" she **cried**.
"넌 거짓말쟁이야!"라고 그녀가 소리쳤다.

05 thank
[θæŋk]

동 ~에게 고마워하다[감사하다]

A Do you want some cake? 케이크 좀 먹을래?
B Yes. **Thank** you. 응. 고마워.

격식을 차리지 않고 고맙다고 말할 때는 Thanks.라고 해요.

06 **sorry**
[sɔ́:ri]

[형] 1. 미안한   2. 안쓰러운 ⌐가엾고 불쌍한

I'm **sorry** I'm late. 늦어서 **미안해**.

I felt **sorry** for him. 나는 그가 **안쓰럽다고** 느꼈다.

---

07 **good**
[gud]
비교급 better
최상급 best

[형] 좋은, 훌륭한

Did you have a **good** time? **좋은** 시간 보냈니?

The food was really **good**. 그 음식은 정말 **훌륭했다**.

[반의어] bad
나쁜, 불쾌한

---

08 **glad**
[glæd]

[형] 기쁜, 반가운

I'm **glad** to see you again. 너를 다시 만나게 되어 **기뻐**.

---

09 **happy**
[hǽpi]

[형] 행복한

The story has a **happy** ending.
그 이야기는 **행복한** 결말을 맺는다.

[반의어] unhappy
기분이 안 좋은, 불행한

---

10 **love**
[lʌv]

[동] 사랑하다 [명] 사랑

I **love** you. 너를 **사랑해**.

They fell in **love**. 그들은 **사랑**에 빠졌다.

➕ fall in **love** 사랑에 빠지다

lovely [형] 사랑스러운

---

11 **hate**
[heit]

[동] 아주 싫어하다, 미워하다 [명] 미움, 증오 ⌐몹시 미워함

I **hate** math. 나는 수학이 정말 **싫어**.

Her face was full of **hate**. 그녀의 얼굴은 **증오**로 가득했다.

---

12 **joy**
[dʒɔi]

[명] 기쁨

The children jumped with **joy**.
그 아이들은 **기뻐서** 폴짝폴짝 뛰었다.

joyful [형] 기쁜, 즐거운

13 sad
[sæd]

형 슬픈

I was **sad** to hear the news.
나는 그 소식을 듣고 **슬펐다**.

➕ a **sad** movie 슬픈 영화

---

14 lonely
[lóunli]

형 외로운, 고독한

She felt **lonely** at school. 그녀는 학교에서 **외로웠다**.

---

15 heart
[hɑːrt]

명 1. 심장 2. 마음

She has a weak **heart**. 그녀는 **심장**이 약하다.
He broke my **heart**. 그는 내 **마음**을 아프게 했다.

---

16 angry
[ǽŋgri]

형 화난, 성난

Please don't be **angry** with him.
그에게 **화를 내지** 마세요.

➕ be **angry** with ~에게 화를 내다[화나다]

---

17 upset
[ʌpsét]

형 속상한, 기분이 상한

You look **upset**. What's wrong?
너 **속상해** 보여. 무슨 일이니?

---

18 nervous
[nə́ːrvəs]

형 긴장한, 초조한　　⌐ 마음이 조마조마한

I'm **nervous** about my exams.
나는 시험 때문에 **긴장돼**.

---

19 bored
[bɔːrd]

형 지루해하는

I'm so **bored**! There is nothing to do.
난 너무 **지루해**! 할 게 아무것도 없어.

20 excited
[iksáitid]

형 신이 난, 흥분한

The children were **excited** about the trip.
그 아이들은 그 여행에 대해 **신이 나** 있었다.

21 worried
[wɔ́:rid]

형 걱정하는

I'm **worried** about the math test.
나는 그 수학 시험이 **걱정된다**.

➊ be **worried** about ~에 대해 걱정하다

worry 동 걱정하다

22 surprised
[sərpráizd]

형 놀란

We were **surprised** at the news.
우리는 그 소식에 **놀랐다**.

➊ be **surprised** at ~에 놀라다

교과서 필수 암기 숙어

23 be interested in

~에 관심이 있다

I **am interested in** music. 나는 음악에 관심이 있다.

24 be afraid of

~을 무서워하다[두려워하다]

He **is afraid of** spiders.
그는 거미를 **무서워한다**.

25 feel like -ing

~하고 싶다

I **feel like eating** pizza for lunch. 나는 점심으로 피자를 **먹고 싶다**.

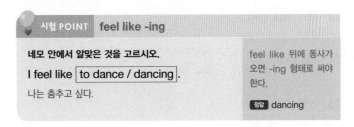

시험 POINT **feel like -ing**

네모 안에서 알맞은 것을 고르시오.
I feel like to dance / dancing .
나는 춤추고 싶다.

feel like 뒤에 동사가 오면 -ing 형태로 써야 한다.

정답 dancing

Daily Test

[01-25] 영어는 우리말로, 우리말은 영어로 쓰시오.

01 good

02 joy

03 lonely

04 feel

05 laugh

06 happy

07 nervous

08 hate

09 glad

10 worried

11 surprised

12 울다, 외치다

13 사랑하다; 사랑

14 미안한, 안쓰러운

15 슬픈

16 지루해하는

17 신이 난, 흥분한

18 미소; 미소 짓다

19 속상한, 기분이 상한

20 화난, 성난

21 심장, 마음

22 ~에게 고마워하다

23 feel like -ing

24 be afraid of

25 ~에 관심이 있다

STEP 2 　제대로 적용하기

A
단어

주어진 단어를 의미에 맞게 바꿔 쓰시오.

01　love　　→　사랑스러운　　_____

02　feel　　→　느낌, 감각　　_____

03　joy　　→　기쁜, 즐거운　　_____

04　worry　→　걱정하는　　_____

B
구

우리말 의미에 맞게 빈칸에 알맞은 말을 쓰시오.

01　사랑에 빠지다　　　fall in _____

02　아름다운 미소　　　a beautiful _____

03　행복한 결말　　　　a _____ ending

04　슬픈 영화　　　　　a _____ movie

05　속상해 보이다　　　look _____

C
문장

보기 에서 알맞은 말을 골라 문장을 완성하시오.

보기	angry	interested	afraid	surprised	like

01　Are you _____ of snakes?　너는 뱀을 무서워하니?

02　We were _____ at his story.　우리는 그의 이야기에 놀랐다.

03　I feel _____ watching a movie.　나는 영화를 보고 싶다.

04　He is _____ in space science.　그는 우주 과학에 관심이 있다.

05　She is very _____ with her boyfriend.
　　그녀는 남자 친구에게 매우 화가 나 있다.

건강 상태

들으며 외우기

01 health
[helθ]

® 건강

Running is good for your **health**.
달리기는 **건강**에 좋다.

healthy ® 건강한

---

02 strong
[strɔːŋ]

® 강한, 힘센

John is a **strong** boy.
John은 **힘센** 남자아이이다.

strength ® 힘

---

03 weak
[wiːk]

® 약한, 힘이 없는

The puppy looks **weak**. 그 강아지는 **약해** 보인다.

반의어 strong
강한, 힘센

---

04 wake
[weik]
woke-woken

® (잠에서) 깨다, 깨우다

I **woke** up at 7 this morning.
나는 오늘 아침 7시에 **깼다**.

Please **wake** me up early tomorrow.
내일 저를 일찍 **깨워** 주세요.

Wake up!은 '일어나!'라
는 뜻이에요.

---

05 bath
[bæθ]

® 목욕

I took a **bath** before dinner.
나는 저녁 식사 전에 **목욕**을 했다.

➕ take a **bath** 목욕을 하다

---

06 sleepy
[slíːpi]

® 졸린

I feel **sleepy** now. 나 지금 **졸려**.

sleep ® (잠을) 자다

---

07 tired
[táiərd]

® 피곤한, 지친

She looked **tired**. 그녀는 **피곤해** 보였다.

08 fine
[fain]

형 괜찮은, 좋은

A How are you doing? 어떻게 지내?
B I'm **fine**, thanks. 잘 **지내**, 고마워.

---

09 full
[ful]

형 1. 가득 찬 2. 배부른

The box is **full** of oranges.
그 상자는 오렌지로 **가득 차** 있다.

I'm very **full**. 나는 매우 **배불러**.

➕ be **full** of ~으로 가득 차다

반의어 empty
비어 있는

---

10 hungry
[hʌ́ŋgri]

형 배고픈

I'm **hungry**. What's for dinner?
저 **배고파요**. 저녁은 뭐예요?

---

11 thirsty
[θə́ːrsti]

형 목마른, 갈증이 나는

I'm really **thirsty**. Can I have some water?
저 정말 **목말라요**. 물 좀 마실 수 있을까요?

---

12 hurt
[həːrt]
hurt-hurt

동 1. 다치게 하다 2. 아프다

He **hurt** his leg during the game.
그는 경기 중에 다리를 **다쳤다**.

Ouch! My foot really **hurts**. 아야! 발이 너무 **아파**.

 시험 POINT   hurt의 과거형

네모 안에서 알맞은 것을 고르시오.

I hurted / hurt my knee yesterday.
나는 어제 무릎을 다쳤다.

hurt의 과거형은 hurt
이다.

정답 hurt

---

13 weight
[weit]

명 무게, 체중

I'm trying to lose **weight**.
나는 **체중**을 줄이려고 노력하고 있다.

➕ lose **weight** 체중이 줄다, 살을 빼다
　 gain **weight** 체중이 늘다, 살이 찌다

weigh
동 무게가 ~이다

weight, weigh의 gh는
소리가 나지 않는 묵음이
므로 발음과 철자에 주의
하세요.

14 fever
[fíːvər]

명 (병으로 인한) **열**

The baby has a high **fever**. 아기가 **열**이 많이 난다.

➕ have a **fever** 열이 나다

---

15 cough
[kɔːf]

통 **기침하다** 명 **기침**

He was **coughing** all day.
그는 하루 종일 **기침하고** 있었다.

Do you have a **cough**? **기침**이 나나요?

➕ have a **cough** 기침이 나다

> cough의 g<u>h</u>는 [f]로 발음되므로 발음과 철자에 주의하세요.

---

16 runny nose
[ráni nouz]

콧물

I have a **runny nose**. 저는 **콧물**이 나요.

➕ have a **runny nose** 콧물이 나다

---

17 throat
[θrout]

명 **목구멍**

I have a sore **throat**. 저는 **목**이 아파요.

➕ have a sore **throat** 목이 아프다[따갑다]

> throat는 '목구멍'을 뜻해요. '목'을 뜻하는 단어는 neck이에요.

---

18 medicine
[médisn]

명 **약**

Take the **medicine** three times a day.
그 **약**을 하루에 세 번 드세요.

➕ take **medicine** 약을 먹다

> **시험 POINT** '약을 먹다'의 영어 표현
>
> 네모 안에서 알맞은 것을 고르시오.
> You should | eat / take | some medicine.
> 너는 약을 조금 먹어야 한다.

> '약을 먹다'라고 할 때 동사 take를 쓴다. eat은 '음식을 먹다'라고 할 때 쓰는 동사이다.
>
> **정답** take

¹⁹ **headache**
[hédèik]

명 두통

I have a bad **headache**. 나는 두통이 심하다.

⊕ have a **headache** 두통이 있다, 머리가 아프다

---

²⁰ **pain**
[pein]

명 통증, 고통

I felt a **pain** in my toe. 나는 발가락에 통증을 느꼈다.

---

²¹ **sick**
[sik]

형 아픈, 병든

He takes care of his **sick** mother.
그는 그의 **편찮으신** 어머니를 돌본다.

---

²² **dead**
[ded]

형 죽은

His grandparents are both **dead**.
그의 조부모님은 두 분 다 **돌아가셨다**.

반의어 alive 살아 있는

교과서 필수 암기 숙어

²³ **have a cold**

감기에 걸리다

Kate **had a cold**. Kate는 감기에 걸렸다.

---

²⁴ **get well**

병이 낫다

He will **get well** soon. 그는 곧 **병이 나을** 거야.

---

²⁵ **see a doctor**

병원에 가다, 의사의 진찰을 받다

You need to **see a doctor**. 너는 **병원에 가야** 해.

Daily Test

[01-25] 영어는 우리말로, 우리말은 영어로 쓰시오.

01	sick		12	건강	
02	sleepy		13	강한, 힘센	
03	tired		14	통증, 고통	
04	hungry		15	기침하다; 기침	
05	wake		16	(병으로 인한) 열	
06	fine		17	무게, 체중	
07	dead		18	다치게 하다, 아프다	
08	bath		19	목마른, 갈증이 나는	
09	medicine		20	두통	
10	full		21	목구멍	
11	runny nose		22	약한, 힘이 없는	

23 see a doctor

24 get well

25 감기에 걸리다

STEP 2   제대로 적용하기

A 단어
주어진 단어를 의미에 맞게 바꿔 쓰시오.

01 strong → 힘 _____

02 health → 건강한 _____

03 sleep → 졸린 _____

04 weigh → 무게, 체중 _____

B 구
우리말 의미에 맞게 빈칸에 알맞은 말을 쓰시오.

01 두통이 있다   have a _____

02 약을 먹다   take _____

03 기침이 나다   have a _____

04 목욕하다   take a _____

05 피곤해 보이다   look _____

06 병이 낫다   _____ well

C 문장
빈칸에 알맞은 말을 넣어 문장을 완성하시오.

01 Do you have a _____? 너는 감기에 걸렸니?

02 You should _____ a doctor. 너는 병원에 가야 해.

03 She had a _____ last night. 그녀는 어젯밤에 열이 났다.

04 The bag is _____ of books. 그 가방은 책들로 가득 차 있다.

05 I have a sore _____ and a _____ nose.
저는 목이 아프고 콧물이 나요.

어휘 Test

01 동사와 그 과거형이 잘못 짝지어진 것은? 🔗 **DAY 07** 시험 POINT

① stand – stood
② break – broke
③ throw – threw
④ catch – caught
⑤ shake – shaked

02 빈칸에 들어갈 수 없는 단어는?

I have a _____.

① cough
② fever
③ headache
④ sick
⑤ runny nose

03 짝지어진 단어의 관계가 〈보기〉와 다른 것은?

보기   act – actor

① lead – leader
② own – owner
③ feel – feeling
④ worry – worried
⑤ run – runner

04 빈칸에 들어갈 말이 순서대로 짝지어진 것은? 🔗 **DAY 06** 시험 POINT

• The boy comes _____ Spain.
• Are you interested _____ soccer?
• I bought some milk _____ my way home.

① to – in – to
② to – with – to
③ from – in – on
④ from – in – to
⑤ from – with – on

05 밑줄 친 단어의 쓰임이 <u>어색한</u> 것은? 🔗 **DAY 10** 시험 POINT

① A Do you want some pizza?

B No, thanks. I'm very <u>full</u>.

② A I <u>broke</u> my leg.

B Oh, that's too bad.

③ A Who is that man?

B He is my new <u>neighbor</u>.

④ A I have a bad cold.

B You should <u>eat</u> some medicine.

⑤ A Happy birthday! This is for you.

B Thank you. I'm so <u>happy</u>.

06 각 네모 (A)와 (B)에서 알맞은 단어를 골라 쓰시오. 🔗 **DAY 09, 10** 시험 POINT

서술형

• I felt (A) | sad / sadly | at the news.

• Tony (B) | hurt / hurts | his knee yesterday.

(A) _____   (B) _____

07 우리말과 일치하도록 〈조건〉에 맞게 문장을 완성하시오. 🔗 **DAY 09** 시험 POINT

서술형

나는 오늘 밖에 나가고 싶지 않다. (feel like, go)

조건 1. 주어진 말을 모두 사용할 것

2. 필요시 단어의 형태를 바꿀 것

→ I don't _____ out today.

PART 3

친구

들으며 외우기

01 friend
[frend]

명 친구

She is my best **friend**. 그녀는 나의 가장 친한 **친구**이다.

---

02 friendship
[fréndʃip]

명 우정

Friendship is very important to me.
우정은 나에게 매우 중요하다.

---

03 meet
[miːt]
met-met

동 만나다

Let's **meet** at the park. 공원에서 **만나자**.

meeting
명 회의, 모임

---

04 talk
[tɔːk]

동 말하다, 이야기하다 명 이야기, 대화

He **talked** about his girlfriend.
그는 그의 여자 친구에 대해 **이야기했다**.

➕ a **talk** show 토크 쇼

---

05 help
[help]

동 돕다, 도와주다 명 도움

Can I **help** you? 도와드릴까요?
Thank you for your **help**. 도와주셔서 고맙습니다.

helpful
형 도움이 되는

---

06 fight
[fait]
fought-fought

동 싸우다 명 싸움

Two boys are **fighting** on the playground.
두 남자아이가 운동장에서 **싸우고** 있다.
I had a **fight** with Jane. 나는 Jane과 **싸웠다**.

fight의 gh는 소리가 나지 않는 묵음이므로 발음과 철자에 주의하세요.

---

07 special
[spéʃəl]

형 특별한

Today is a **special** day. 오늘은 **특별한** 날이다.

08 birthday
[bɔ́ːrθdèi]

명 생일

When is your **birthday**? 네 생일은 언제니?

birth(탄생)+day(날)

---

09 gift
[gift]

명 1. 선물 2. 재능, 재주

This ring is a **gift** from my friends.
이 반지는 내 친구들이 준 **선물**이다.

He has a **gift** for music. 그는 음악에 **재능**이 있다.

---

10 present
[préznt]

명 선물 형 현재의

I gave him a birthday **present**.
나는 그에게 생일 **선물**을 주었다.

She likes her **present** job.
그녀는 그녀의 **현재의** 직업을 좋아한다.

유의어 gift 선물

---

11 letter
[létər]

명 1. 편지 2. 글자, 문자

He wrote a **letter** to his old friend.
그는 그의 오랜 친구에게 **편지**를 썼다.

"A" is the first **letter** of the English alphabet.
'A'는 영어 알파벳의 첫 번째 **글자**이다.

'편지(letter)에 쓰는 것은 글자(letter)'로 외워 보세요.

---

12 message
[mésidʒ]

명 메시지

I got a **message** from Tony.
나는 Tony한테서 **메시지**를 받았다.

message의 철자 e와 a의 순서를 헷갈리지 않도록 주의하세요.

---

13 send
[send]
sent-sent

동 보내다

I'll **send** a Christmas card to him.
나는 그에게 크리스마스 카드를 **보낼** 것이다.

시험 POINT **send의 과거형**

네모 안에서 알맞은 것을 고르시오.

She [sended / sent] a letter to me.

그녀는 나에게 편지를 보냈다.

send의 과거형은 sent이다.

정답 sent

¹⁴ **give**
[giv]
gave-given

[동] 주다

He **gave** me some flowers. 그는 나에게 꽃을 **주었다**.

---

¹⁵ **receive**
[risíːv]

[동] 받다

I **received** a letter from Emily.
나는 Emily한테서 편지를 **받았다**.

---

¹⁶ **borrow**
[báːrou]

[동] 빌리다

Can I **borrow** your pen? 네 펜을 **빌릴** 수 있을까?

---

¹⁷ **lend**
[lend]
lent-lent

[동] 빌려주다

He **lent** a book to Julie. 그는 Julie에게 책을 **빌려줬다**.

---

¹⁸ **call**
[kɔːl]

[동] 1. (큰 소리로) **부르다** 2. 전화하다 [명] 전화

Someone **called** my name. 누군가가 내 이름을 **불렀다**.
He **called** me last night. 그는 어젯밤에 나에게 **전화했다**.
Please give me a **call**. 저에게 **전화** 주세요.

---

¹⁹ **invite**
[inváit]

[동] 초대하다

He **invited** his friends to the party.
그는 그의 친구들을 파티에 **초대했다**.

⊕ **invite** *A* to *B* A를 B에 초대하다

invitation
[명] 초대, 초대장

---

²⁰ **surprise**
[sərpráiz]

[명] 놀라운[뜻밖의] 일 [동] 놀라게 하다

It was a big **surprise**. 그것은 정말 **놀라운 일**이었다.
My friends **surprised** me on my birthday.
내 친구들은 내 생일에 나를 **놀라게 했다**.

⊕ a **surprise** party 깜짝파티

surprised [형] 놀란

21 excuse
동사 [ikskjúːz]
명사 [ikskjúːs]

통 봐주다, 용서하다   명 변명, 핑계

A **Excuse** me. May I sit here?
실례합니다. 여기 앉아도 되나요?
B Sure. 물론이죠.
➕ make an **excuse** 변명을 하다

22 nickname
[níknèim]

명 별명, 애칭

His **nickname** is "Teddy Bear."
그의 **별명**은 '테디 베어'이다.

교과서 필수 암기 숙어

23 laugh at

~을 비웃다

She **laughed at** my hair.
그녀는 내 머리를 **비웃었다**.

24 hang out

어울려 놀다, 시간을 보내다

Tom and I often **hang out** at the mall.
Tom과 나는 자주 그 쇼핑몰에서 **어울려 논다**.

25 make fun of

~을 놀리다

The girls **made fun of** Amy's clothes.
그 여자아이들은 Amy의 옷차림을 **놀렸다**.

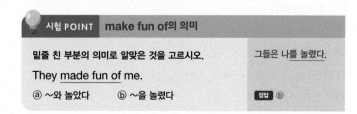

시험 POINT   make fun of의 의미

밑줄 친 부분의 의미로 알맞은 것을 고르시오.   그들은 나를 놀렸다.
They made fun of me.
ⓐ ~와 놀았다   ⓑ ~을 놀렸다   정답 ⓑ

Daily Test

STEP 1 빈틈없이 확인하기

[01-25] 영어는 우리말로, 우리말은 영어로 쓰시오.

01	send	12	친구
02	talk	13	메시지
03	call	14	생일
04	give	15	편지, 글자, 문자
05	receive	16	특별한
06	gift	17	만나다
07	invite	18	빌리다
08	lend	19	봐주다; 변명, 핑계
09	nickname	20	싸우다; 싸움
10	help	21	선물; 현재의
11	friendship	22	놀라운 일; 놀라게 하다

23 hang out

24 ~을 놀리다

25 ~을 비웃다

STEP 2 제대로 적용하기

A
단어

주어진 동사의 과거형을 쓰시오.

01 give → _____　　02 send → _____

03 meet → _____　　04 fight → _____

05 borrow → _____　　06 lend → _____

B
구

우리말 의미에 맞게 빈칸에 알맞은 말을 쓰시오.

01 깜짝파티　　　　　a _____ party

02 생일 선물　　　　a _____ present

03 나의 가장 친한 친구　my best _____

04 편지를 쓰다　　　write a _____

05 변명을 하다　　　make an _____

C
문장

빈칸에 알맞은 말을 넣어 문장을 완성하시오.

01 Did you get my _____? 너는 내 메시지를 받았니?

02 We will _____ him to dinner. 우리는 그를 저녁 식사에 초대할 것이다.

03 Don't _____ _____ his mistake. 그의 실수를 비웃지 마라.

04 I usually _____ _____ with my cousins.
나는 보통 내 사촌과 어울려 논다.

05 My brothers often _____ _____ of me.
우리 형들은 자주 나를 놀린다.

어휘력 UPGRADE

01 cute
[kju:t]

형 귀여운, 예쁜

That baby is so **cute**. 저 아기는 아주 **귀엽다**.

---

02 pretty
[príti]

형 예쁜 부 꽤, 상당히

She has a **pretty** face. 그녀는 얼굴이 **예쁘다**.
The answer is **pretty** simple. 답은 **꽤** 간단하다.

---

03 tall
[tɔ:l]

형 키가 큰, 높은

The basketball players are **tall**.
그 농구 선수들은 **키가 크다**.

⊕ a **tall** building 높은 건물

---

04 short
[ʃɔ:rt]

형 1. 키가 작은 2. 짧은

The boy is **short**. 그 남자아이는 키가 작다.
My dog has **short** legs. 우리 개는 다리가 **짧다**.

반의어 tall 키가 큰
long 긴

---

05 lovely
[lʌ́vli]

형 사랑스러운

Kate looks **lovely** today.
Kate는 오늘 **사랑스러워** 보인다.

대부분의 부사가 -ly로 끝나기 때문에 lovely도 부사라고 생각할 수 있지만, 형용사라는 점에 주의하세요.

---

06 beautiful
[bjú:təfəl]

형 아름다운

He has a **beautiful** voice.
그는 **아름다운** 목소리를 가지고 있다.

beauty
명 아름다움, 미인

07 handsome
[hǽnsəm]

혱 멋진, 잘생긴

Jake is tall and **handsome**. Jake는 키가 크고 **잘생겼다**.

---

08 round
[raund]

혱 둥근

My brother has a **round** face.
내 남동생은 얼굴이 **둥글다**.

---

09 ugly
[ʌ́gli]

혱 못생긴, 보기 싫은

The dolls are **ugly**. 그 인형들은 **못생겼다**.

---

10 look
[luk]

동 1. 보다 2. ~해 보이다

Look at the rainbow. 무지개를 **봐**.
She **looks** beautiful. 그녀는 아름다워 **보인다**.

➕ **look** at ~을 보다

> **시험 POINT** look + 형용사
>
> 네모 안에서 알맞은 것을 고르시오.
> The boy looks | happy / happily |.
> 그 남자아이는 행복해 보인다.

'~해 보이다'는 「look +형용사」로 쓴다.

정답 happy

---

11 height
[hait]

명 키, 높이

She is worried about her **height**.
그녀는 자신의 **키**에 대해 걱정한다.

➕ the **height** of the building 그 건물의 높이

---

12 slim
[slim]

혱 날씬한

I want to be **slim**. 나는 **날씬해지고** 싶다.

---

13 overweight
[òuvərwéit]

혱 과체중의 ⟵ 몸무게가 많이 나가는

My cat is **overweight**. 나의 고양이는 **과체중이다**.

over(~가 넘는)+ weight(체중)

14 fat
[fæt]

형 뚱뚱한, 살찐 명 지방

My cat is **fat**. 나의 고양이는 **뚱뚱하다**.

This milk is low in **fat**. 이 우유는 **지방**이 적다.

반의어 thin 마른, 여윈

사람을 묘사할 때 fat이
라고 하면 무례하게 들릴
수 있으니 주의하세요.

---

15 hair
[hɛər]

명 머리카락

She has brown **hair**. 그녀는 **머리카락**이 갈색이다.

---

16 straight
[streit]

형 곧은, 일직선의 부 똑바로, 곧장

I drew a **straight** line. 나는 **직선**을 그렸다.

Go **straight** two blocks. 두 블록을 **곧장** 가세요.

➊ **straight** hair 직모, 생머리

straight의 gh는 소리가
나지 않는 묵음이므로 발
음과 철자에 주의하세요.

---

17 curly
[kə́:rli]

형 곱슬곱슬한

My brother has **curly** hair.
내 남동생은 **곱슬**머리이다.

➊ **curly** hair 곱슬머리

반의어 straight
곧은, 일직선의

---

18 blond
[blɑːnd]

형 금발의

Who is that girl with **blond** hair?
금발인 저 여자아이는 누구니?

---

19 sunglasses
[sʌ́nglæsiz]

명 선글라스

He is wearing **sunglasses**. 그는 **선글라스**를 쓰고 있다.

🎈 시험 POINT 항상 복수형으로 쓰는 명사

네모 안에서 알맞은 것을 고르시오.

I wore a hat and sunglass / sunglasses .

나는 모자와 선글라스를 썼다.

선글라스는 항상 복수
형으로 쓴다.

정답 sunglasses

20 change
[tʃeindʒ]

통 바꾸다, 변화시키다   명 변화

She **changed** her hair color. 그녀는 머리 색을 **바꾸었다.**

➕ make a **change** 변화시키다, 바꾸다

---

21 style
[stail]

명 1. (패션·디자인 등의) 스타일   2. 방식

Those jeans are not my **style**.
그 청바지는 내 **스타일**이 아니다.

He has an excellent writing **style**.
그는 글을 쓰는 **방식**이 뛰어나다.

---

22 beard
[biərd]

명 턱수염

My uncle has a **beard**. 내 삼촌은 **턱수염**이 있다.

---

23 attractive
[ətræktiv]

형 매력적인

Jenny is an **attractive** girl.
Jenny는 **매력적인** 여자아이이다.

attract
통 (마음을) 끌다

외모뿐 아니라 성격 면에
서도 호감이 가는 사람을
묘사할 때 쓸 수 있어요.

교과서 필수 암기 숙어

24 all the time

항상

He looks happy **all the time**.
그는 **항상** 행복해 보인다.

---

25 from time to time

때때로

I change my hairstyle **from time to time**.
나는 **때때로** 내 헤어스타일을 바꾼다.

Daily Test

[01-25] 영어는 우리말로, 우리말은 영어로 쓰시오.

01　slim

02　change

03　short

04　lovely

05　fat

06　cute

07　ugly

08　blond

09　handsome

10　beard

11　hair

12　height

13　키가 큰, 높은

14　아름다운

15　과체중의

16　스타일, 방식

17　선글라스

18　보다, ~해 보이다

19　예쁜; 꽤, 상당히

20　매력적인

21　둥근

22　곱슬곱슬한

23　곧은, 일직선의; 똑바로

24　all the time

25　때때로

STEP 2　제대로 적용하기

A
단어

주어진 단어를 지시대로 바꿔 쓰시오.

01　fat　　　→ 반의어 _____

02　tall　　　→ 반의어 _____

03　curly　　→ 반의어 _____

B
구

우리말 의미에 맞게 빈칸에 알맞은 말을 쓰시오.

01　곱슬머리　　　_____ hair

02　직모, 생머리　　_____ hair

03　키 큰 소년　　a _____ boy

04　둥근 얼굴　　a _____ face

05　그 건물의 높이　the _____ of the building

C
문장

빈칸에 알맞은 말을 넣어 문장을 완성하시오.

01　We need to _____ our plans.　우리는 우리의 계획을 바꿔야 한다.

02　You don't look _____.　너는 과체중으로 보이지 않아.

03　_____ _____ that picture. It's beautiful.　저 그림을 봐. 아름다워.

04　She sends a letter to me _____ time _____ time.
　　그녀는 때때로 나에게 편지를 보낸다.

05　I think about you _____ _____ _____.
　　나는 항상 너를 생각한다.

성격

둘으며 외우기

어휘력 UPGRADE

---

01 character
[kǽriktər]

명 1. 성격, 특징 2. 등장인물, 캐릭터

Everyone has their own **character**.
모든 사람은 자신만의 **성격**이 있다.

My favorite cartoon **character** is Snoopy.
내가 가장 좋아하는 만화 **캐릭터**는 스누피이다.

유의어 personality
성격

---

02 funny
[fʌ́ni]

형 웃기는, 재미있는

Jake is really **funny**. Jake는 진짜 **웃겨**.

❍ a **funny** story 웃긴 이야기

It's fun.은 '(즐거워서)
재미있다.'라는 뜻이고,
It's funny.는 '(웃겨서)
재미있다.'라는 뜻이에요.

---

03 active
[ǽktiv]

형 활동적인, 활발한

Anna is a very **active** girl.
Anna는 매우 **활발한** 여자아이다.

---

04 kind
[kaind]

형 친절한 명 종류

They're very **kind** to me. 그들은 나에게 매우 **친절하다**.

What **kind** of movies do you like?
너는 어떤 **종류**의 영화를 좋아하니?

---

05 friendly
[fréndli]

형 친절한, 다정한

I like Anna. She's so **friendly**.
난 Anna가 좋아. 그녀는 아주 **친절해**.

-ly로 끝나지만 부사가
아니라 형용사라는 점에
주의하세요.

 시험 POINT   friendly의 의미

영어 단어와 우리말 의미가 잘못 연결된 것은?

ⓐ quickly: 빠르게
ⓑ sadly: 슬프게
ⓒ friendly: 친절하게

friendly는 '친절하게'
가 아니라 '친절한'이라
는 뜻의 형용사이다.

정답 ⓒ

06 honest
[ɑ́:nist]

형 정직한, 솔직한

He is **honest**. Everybody likes him.
그는 **정직하다**. 모두가 그를 좋아한다.

07 smart
[smɑːrt]

형 똑똑한

Cindy is very **smart**. Cindy는 매우 **똑똑하다**.

08 brave
[breiv]

형 용감한

The **brave** man saved the child.
그 **용감한** 남자가 그 아이를 구했다.

09 wise
[waiz]

형 현명한, 지혜로운

My grandfather is a **wise** man.
우리 할아버지는 **현명한** 분이시다.

wisely 부 현명하게

10 cheerful
[tʃíərfəl]

형 쾌활한, 명랑한

Jenny is always **cheerful**. Jenny는 항상 **쾌활하다**.

cheerfully
부 쾌활하게

11 creative
[kriéitiv]

형 창의적인, 창조적인

Steve Jobs was a **creative** man.
스티브 잡스는 **창의적인** 사람이었다.

create 동 창조하다,
만들어내다

12 curious
[kjúəriəs]

형 호기심이 많은, 궁금해하는

Children are **curious** about everything.
아이들은 모든 것에 대해 **호기심이 많다**.

13 calm
[kɑ:m]

형 침착한, 차분한 동 진정시키다, 달래다

His voice was pretty **calm**. 그의 목소리는 꽤 **침착했다**.
You need to **calm** down. 너는 **진정할** 필요가 있어.

➕ **calm** down 진정하다, (마음을) 가라앉히다

calm의 l은 소리가 나지 않는 묵음이므로 발음과 철자에 주의하세요.

---

14 careful
[kɛ́ərfəl]

형 조심하는, 주의 깊은

Be **careful**! The floor is wet. **조심해**! 바닥이 젖어 있어.

carefully
부 주의 깊게

---

15 quiet
[kwáiət]

형 조용한, 고요한

Please be **quiet**. **조용히** 해 주세요.

---

16 shy
[ʃai]

형 부끄럼을 타는, 수줍어하는

Tom is quiet and **shy**. Tom은 조용하고 **부끄럼을 탄다**.

---

17 polite
[pəláit]

형 예의 바른, 공손한

The children are **polite**. 그 아이들은 **공손하다**.

반의어 impolite
버릇 없는, 무례한

---

18 strict
[strikt]

형 엄격한, 엄한

My parents are very **strict**. 우리 부모님은 매우 **엄하시다**.

---

19 humorous
[hjú:mərəs]

형 유머러스한, 유머가 넘치는

He was a **humorous** writer. 그는 **유머가 넘치는** 작가였다.

humor 명 유머

20 **fool**
[fu:l]

몡 바보, 어리석은 사람

Don't act like a **fool**. 바보처럼 행동하지 마.

➕ April **Fools**' Day 만우절(매년 4월 1일)

foolish 톙 어리석은

---

21 **lazy**
[léizi]

톙 게으른

Don't be **lazy**. 게으름 피우지 마.

반의어 diligent
부지런한

---

22 **stupid**
[stʃúːpid]

톙 어리석은, 멍청한

That's a **stupid** idea. 그것은 **어리석은** 생각이다.

유의어 foolish, silly

---

23 **rude**
[ru:d]

톙 무례한, 버릇없는

He is **rude** to his teacher. 그는 그의 선생님께 **무례하다**.

교과서 필수 암기 숙어

---

24 **cheer up**

기운을 내다

Cheer up! It's going to be all right.
기운 내! 괜찮을 거야.

---

25 **on one's own**

스스로, 혼자 힘으로

I can do it **on my own**. 나는 **스스로** 그것을 할 수 있어.

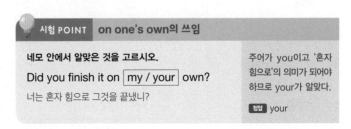

시험 POINT **on one's own의 쓰임**

네모 안에서 알맞은 것을 고르시오.

Did you finish it on my / your own?

너는 혼자 힘으로 그것을 끝냈니?

주어가 you이고 '혼자
힘으로'의 의미가 되어야
하므로 your가 알맞다.

정답 your

Daily Test

[01-25] 영어는 우리말로, 우리말은 영어로 쓰시오.

01	smart		13	조용한, 고요한
02	friendly		14	예의 바른, 공손한
03	funny		15	성격, 특징, 등장인물
04	active		16	유머가 넘치는
05	stupid		17	창의적인, 창조적인
06	shy		18	친절한; 종류
07	rude		19	정직한, 솔직한
08	fool		20	호기심이 많은
09	cheerful		21	게으른
10	wise		22	침착한; 진정시키다
11	brave		23	조심하는, 주의 깊은
12	strict			

24　on one's own

25　기운을 내다

STEP 2   제대로 적용하기

A
단어

주어진 단어를 의미에 맞게 바꿔 쓰시오.

01 create   → 창의적인, 창조적인   _____

02 cheerful → 쾌활하게   _____

03 humor   → 유머가 넘치는   _____

04 fool   → 어리석은   _____

05 wise   → 현명하게   _____

B
구

우리말 의미에 맞게 빈칸에 알맞은 말을 쓰시오.

01 기운을 내다   _____ up

02 (마음을) 가라앉히다 _____ down

03 만화 캐릭터   a cartoon _____

04 웃긴 이야기   a _____ story

C
문장

보기에서 알맞은 말을 골라 문장을 완성하시오.

보기   curious   careful   kind   rude   own

01 You can't live on your _____. 너는 혼자 힘으로 살 수 없다.

02 I'll be more _____ next time. 다음번에는 더 조심할게요.

03 Don't be _____ to your parents. 부모님께 무례하게 굴지 마라.

04 What _____ of sports do you like? 너는 어떤 종류의 운동을 좋아하니?

05 He is always _____ about my work. 그는 항상 내 일을 궁금해한다.

학교

들으며 외우기

01 school
[sku:l]

명 학교

I go to **school** at 8:30 a.m.
나는 오전 8시 30분에 **학교**에 간다.

➋ go to **school** 학교에 가다, 등교하다

> 시험 POINT '등교하다'의 영어 표현
>
> 우리말을 영어로 바르게 옮긴 것을 고르시오.
>
> 너는 몇 시에 등교하니?
>
> ⓐ What time do you go to school?
> ⓑ What time do you go to the school?

'등교하다'라고 할 때 school 앞에 the를 쓰지 않는다.

정답 ⓐ

02 student
[stjú:dnt]

명 학생

I'm a middle school **student**. 나는 중학생이다.

03 teacher
[tí:tʃər]

명 교사, 선생

My dad is a science **teacher**.
우리 아빠는 과학 **선생님**이시다.

➋ a homeroom **teacher** 담임 선생님

teach 동 가르치다

04 classroom
[klǽsrù:m]

명 교실

He is reading a book in the **classroom**.
그는 **교실**에서 책을 읽고 있다.

class(수업)+room(방)

05 library
[láibrèri]

명 도서관

I borrowed a book from the **library**.
나는 **도서관**에서 책 한 권을 빌렸다.

06 playground
[pléigràund]

명 운동장, 놀이터

We played soccer on the **playground**.
우리는 **운동장**에서 축구를 했다.

play(놀다)+ground(땅)

07 cafeteria
[kæfətíəriə]

명 (학교·회사 등의) **구내식당**

We have lunch at the school **cafeteria**.
우리는 학교 **식당**에서 점심을 먹는다.

---

08 hall
[hɔːl]

명 1. 복도 2. 강당, 홀

My classroom is at the end of the **hall**.
나의 교실은 **복도**의 끝에 있다.

➊ a concert **hall** 콘서트홀, 연주회장

---

09 grade
[greid]

명 1. 학년 2. 성적

Sam is in the fifth **grade**. Sam은 5**학년**이다.

I got a good **grade** on the math test.
나는 수학 시험에서 좋은 **성적**을 받았다.

➊ get a good[bad] **grade** 좋은[나쁜] 성적을 받다

학년을 나타낼 때 grade 앞의 숫자는 서수(first, second, third, …)로 써요.

---

10 join
[dʒɔin]

동 가입하다, 함께하다

I **joined** the soccer team. 나는 축구팀에 **가입했다**.

---

11 club
[klʌb]

명 동아리, 동호회

Suji and I are in the same **club**.
수지와 나는 같은 **동아리**에 있다.

---

12 activity
[æktívəti]

명 활동, 움직임

Many students enjoy club **activities**.
많은 학생들이 동아리 **활동**을 즐겨 한다.

➊ outdoor **activities** 실외 활동

active
형 활동적인, 활발한

---

13 vacation
[veikéiʃən]

명 방학, 휴가

I went camping during summer **vacation**.
나는 여름 **방학** 동안 캠핑을 갔다.

➊ summer[winter] **vacation** 여름[겨울] 방학

14 homework
[hóumwə̀ːrk]

명 숙제, 과제

I have a lot of **homework**. 나는 **숙제**가 많다.

➊ do one's **homework** 숙제를 하다

---

15 festival
[féstəvəl]

명 축제

We have our school **festival** in September.
우리는 9월에 학교 **축제**를 한다.

---

16 contest
[káːntest]

명 대회, 경연

Minho won the English speech **contest**.
민호가 영어 말하기 **대회**에서 우승했다.

➊ win[lose] a **contest** 대회에서 이기다[지다]

---

17 project
[práːdʒekt]

명 연구 과제, 프로젝트

We finished the **project**. 우리는 그 연구 과제를 끝냈다.

---

18 rule
[ruːl]

명 규칙

You should not break the school **rules**.
너는 학교 **규칙**을 어기면 안 된다.

➊ break a **rule** 규칙을 어기다

---

19 follow
[fáːlou]

동 (~의 뒤를) 따라가다[따라오다], (지시 등을) 따르다

I know the way. Just **follow** me.
내가 그 길을 알아. 그냥 나를 **따라와**.

➊ **follow** a rule 규칙을 따르다

---

20 share
[ʃɛər]

동 1. 함께 쓰다, 공유하다 2. 나누다

My sister and I **share** a room.
우리 언니와 나는 방을 **함께 쓴다**.

I **shared** the cookies with my friends.
나는 친구들과 쿠키를 **나누어** 먹었다.

➊ **share** A with B A를 B와 나누다

21 enter
[éntər]

⑧ 1. ~에 들어가다   2. ~에 입학하다

The teacher **entered** the classroom.
선생님께서 교실에 **들어가셨다**.

My brother **entered** high school last year.
우리 형은 작년에 고등학교에 **입학했다**.

 시험 POINT | enter의 쓰임

우리말을 영어로 바르게 옮긴 것을 고르시오.

나는 그 방에 들어갔다.

ⓐ I entered the room.
ⓑ I entered into the room.

'~에 들어가다'라고 할 때 enter 뒤에 into를 쓰지 않도록 주의한다.

정답 ⓐ

22 together
[təɡéðər]

⑨ 같이, 함께

John and I did the project **together**.
John과 나는 그 연구 과제를 **함께** 했다.

➕ get **together** 모이다, 만나다

교과서 필수 암기 숙어 .....

23 after school

방과 후에

She went to the library **after school**.
그녀는 **방과 후에** 도서관에 갔다.

---

24 do one's best

최선을 다하다

I'll **do my best** to get good grades.
나는 좋은 성적을 받기 위해 **최선을 다할** 것이다.

---

25 be late for

~에 늦다[지각하다]

Tom **was late for** school. Tom은 학교에 **지각했다**.

Daily Test

[01-25] 영어는 우리말로, 우리말은 영어로 쓰시오.

01	teacher		12	학생
02	grade		13	교실
03	school		14	동아리, 동호회
04	homework		15	방학, 휴가
05	join		16	같이, 함께
06	contest		17	복도, 강당
07	playground		18	도서관
08	share		19	따라가다, 따르다
09	cafeteria		20	규칙
10	activity		21	축제
11	enter		22	연구 과제, 프로젝트

23 do one's best

24 be late for

25 방과 후에

STEP 2 제대로 적용하기

A
단어

그림을 보고, 보기 에서 알맞은 단어를 골라 쓰시오.

| 보기 | follow | share | enter |

01
_____

02
_____

03
_____

B
구

우리말 의미에 맞게 빈칸에 알맞은 말을 쓰시오.

01 중학생   a middle school _____

02 모이다, 만나다   get _____

03 겨울 방학   winter _____

04 규칙을 어기다   break a _____

C
문장

빈칸에 알맞은 말을 넣어 문장을 완성하시오.

01 I have to do my _____. 나는 숙제를 해야 한다.

02 I was _____ _____ school today. 나는 오늘 학교에 지각했다.

03 Let's play baseball _____ _____. 방과 후에 야구 하자.

04 He got a bad _____ on the English test.
그는 영어 시험에서 나쁜 성적을 받았다.

05 We did _____ _____ to finish the project.
우리는 그 연구 과제를 끝내기 위해 최선을 다했다.

어휘력 UPGRADE

01 **class**
[klæs]

명 1. 반, 학급 2. 수업 (시간)

Andy and I are in the same **class**.
Andy와 나는 같은 **반**이다.

I have an art **class** today. 나는 오늘 미술 **수업**이 있다.

➕ have a **class** 수업이 있다

---

02 **classmate**
[klǽsmèit]

명 반 친구

Jake is taller than his **classmates**.
Jake는 **반 친구들**보다 더 키가 크다.

class(반)+mate(친구)

---

03 **learn**
[ləːrn]

동 배우다

I **learn** Chinese at school. 나는 학교에서 중국어를 **배운다**.

I'm **learning** to swim. 나는 수영하는 것을 **배우고** 있다.

➕ **learn** to ~하는 것을 배우다

---

04 **teach**
[tiːtʃ]
taught-taught

동 가르치다

Mr. Brown **teaches** music.
Brown 선생님은 음악을 **가르친다**.

teacher
명 교사, 선생

---

05 **speak**
[spiːk]
spoke-spoken

동 말하다, 이야기하다

Can you **speak** English? 당신은 영어를 **말할** 수 있나요?

He never **spoke** about his family.
그는 그의 가족에 대해 전혀 **이야기하지** 않았다.

---

06 **listen**
[lísn]

동 듣다, 귀를 기울이다

Listen carefully. 잘 들어 보세요.

She is **listening** to music. 그녀는 음악을 **듣고** 있다.

➕ **listen** to (귀를 기울여) ~을 듣다

'듣다'는 listen이지만 '~을 듣다'라고 할 때는 listen 뒤에 to를 꼭 써야 해요.

07. math
[mæθ]

명 수학

Sam likes **math**. Sam은 **수학**을 좋아한다.

---

08 science
[sáiəns]

명 과학

What did you learn in **science** class?
너는 **과학** 시간에 무엇을 배웠니?

scientist 명 과학자
science(과학)+-ist
(사람)

---

09 history
[hístəri]

명 역사

He is learning Korean **history**.
그는 한국**사**를 배우고 있다.

➕ world **history** 세계사

---

10 subject
[sʌ́bdʒikt]

명 1. 과목 2. 주제, 화제 ⌐ 이야깃거리

Science is my favorite **subject**.
과학은 내가 가장 좋아하는 **과목**이다.

I tried to change the **subject**.
나는 **화제**를 바꾸려고 노력했다.

> 🎈 시험 POINT subject의 의미
>
> 〈보기〉에 주어진 말을 모두 포괄하는 단어를 고르시오.
>
> | 보기 | science | music | math | history |
>
> ⓐ sport   ⓑ subject   ⓒ season

과학, 음악, 수학, 역사
는 모두 '과목'이다.
ⓐ 운동 ⓒ 계절
정답 ⓑ

---

11 ask
[æsk]

동 1. 물어보다 2. 부탁하다, 요청하다

Can I **ask** you something? 뭐 좀 **물어봐도** 돼요?
The man **asked** for help. 그 남자는 도움을 **요청했다**.

➕ **ask** for ~을 요청하다

---

12 solve
[sɑːlv]

동 풀다, 해결하다

I couldn't **solve** the problem.
나는 그 문제를 풀 수 없었다.

solution
명 해결책, 해법

13 **chair**
[tʃɛər]

명 의자

There is a **chair** by the window. 창가에 **의자**가 있다.

---

14 **desk**
[desk]

명 책상

I left the book on your **desk**.
나는 그 책을 네 **책상** 위에 두었어.

➕ an information **desk** 안내 데스크

---

15 **question**
[kwéstʃən]

명 질문

I have a **question**. 저 **질문** 있어요.

➕ ask a **question** 질문을 하다
answer a **question** 질문에 답하다

반의어 answer
대답, 답

---

16 **textbook**
[tékstbùk]

명 교과서, 교재

I lost my English **textbook**.
나는 영어 **교과서**를 잃어버렸다.

---

17 **notebook**
[nóutbùk]

명 공책, 노트

She took out a **notebook**.
그녀는 **공책** 한 권을 꺼냈다.

우리는 공책을 '노트'라
고도 부르지만 영어로는
notebook이에요. note
라고 하지 않도록 주의하
세요.

---

18 **dictionary**
[díkʃənèri]

명 사전

I couldn't find the word in the **dictionary**.
나는 **사전**에서 그 단어를 찾을 수 없었다.

---

19 **test**
[test]

명 시험, 테스트

They took a math **test** today.
그들은 오늘 수학 **시험**을 봤다.

➕ take a **test** 시험을 보다

유의어 exam

20 quiz
[kwiz]

몡 1. 쪽지 시험 2. 퀴즈

We have a **quiz** tomorrow. 우리는 내일 **쪽지 시험**이 있다.
I enjoy watching **quiz** shows. 나는 **퀴즈** 쇼를 즐겨 본다.

---

21 easy
[íːzi]

혱 쉬운

English is not **easy** to learn. 영어는 배우기 **쉽지** 않다.

easily 뮈 쉽게

---

22 difficult
[dífikəlt]

혱 어려운

That's a **difficult** question.
그것은 **어려운** 질문이다.

반의어 easy 쉬운

---

23 focus on

~에 집중하다

You should **focus on** your goal.
너는 너의 목표**에 집중해야** 한다.

---

24 be good at

~을 잘하다

She **is good at** science. 그녀는 과학을 잘한다.
I'm **good at** making things. 나는 만들기를 잘한다.

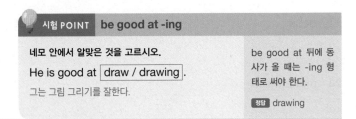

시험 POINT **be good at -ing**

네모 안에서 알맞은 것을 고르시오.
He is good at draw / drawing .
그는 그림 그리기를 잘한다.

be good at 뒤에 동
사가 올 때는 -ing 형
태로 써야 한다.

정답 drawing

---

25 make noise

떠들다, 소란을 피우다

Don't **make noise** in the library. 도서관에서 **떠들지** 마세요.

Daily Test

[01-25] 영어는 우리말로, 우리말은 영어로 쓰시오.

01	math		12	물어보다, 부탁하다	
02	test		13	풀다, 해결하다	
03	history		14	어려운	
04	classmate		15	반, 학급, 수업 (시간)	
05	listen		16	과목, 주제, 화제	
06	easy		17	질문	
07	teach		18	쪽지 시험, 퀴즈	
08	textbook		19	과학	
09	speak		20	의자	
10	learn		21	사전	
11	desk		22	공책, 노트	

23	make noise	
24	~을 잘하다	
25	~에 집중하다	

STEP 2 제대로 적용하기

A
단어

주어진 단어를 의미에 맞게 바꿔 쓰시오.

01 teach → 교사, 선생 _____

02 science → 과학자 _____

03 solve → 해결책, 해법 _____

04 easy → 쉽게 _____

B
구

우리말 의미에 맞게 빈칸에 알맞은 말을 쓰시오.

01 미술 수업 an art _____

02 시험을 보다 take a _____

03 세계사 world _____

04 질문을 하다 ask a _____

05 영어를 말하다 _____ English

C
문장

빈칸에 알맞은 말을 넣어 문장을 완성하시오.

01 I want to _____ to swim. 나는 수영하는 것을 배우고 싶다.

02 Are you _____ _____ solving math problems?
너는 수학 문제를 잘 푸니?

03 He tried to _____ _____ the problem.
그는 그 문제에 집중하려고 노력했다.

04 They often _____ _____ in class.
그들은 자주 수업 시간에 떠든다.

05 You should _____ _____ your teacher.
너는 선생님의 말씀에 귀 기울여야 한다.

01 사람의 성격을 나타내는 단어가 <u>아닌</u> 것은?

① calm   ② curious   ③ curly

④ honest   ⑤ polite

02 짝지어진 단어의 관계가 〈보기〉와 같은 것은?   DAY 13 시험 POINT

> 보기   love – lovely

① easy – easily   ② beautiful – beauty

③ friend – friendly   ④ cheerful – cheerfully

⑤ active – activity

03 빈칸에 들어갈 말이 순서대로 짝지어진 것은?

> • She was late _____ school again.
> • They invited me _____ dinner.
> • He is sharing a room _____ his brother.

① at – to – with   ② at – with – for

③ for – with – to   ④ for – to – with

⑤ for – on – with

04 밑줄 친 표현의 쓰임이 어색한 것은?   DAY 12, 13, 14 시험 POINT

① She <u>looks beautiful</u> today.

② You should <u>listen to</u> your parents.

③ He solved the problem <u>on his own</u>.

④ The students <u>entered into</u> the classroom.

⑤ I watch sad movies <u>from time to time</u>.

[05-06] 문맥상 빈칸에 들어갈 말로 알맞은 것을 고르시오.

05

> I took a math test today. I couldn't solve one problem. It was very _____.

① special   ② round   ③ straight
④ attractive   ⑤ difficult

06

> I had a fight with Tom. I'm not going to _____ with him anymore.

① laugh at   ② hang out   ③ lose weight
④ calm down   ⑤ make an excuse

07 우리말과 일치하도록 할 때 빈칸에 공통으로 들어갈 한 단어를 쓰시오.

서술형

🔗 **DAY 11** 시험 POINT

> • 나를 놀리지 마.
>   → Don't _____ fun of me.
> • 너는 도서관에서 떠들면 안 된다.
>   → You should not _____ noise in the library.

_____

08 우리말과 일치하도록 주어진 단어를 사용하여 문장을 완성하시오. 🔗 **DAY 15** 시험 POINT

서술형

> 원숭이는 나무에 잘 오른다. (good, climb)

→ Monkeys _____ trees.

PART 4

여가와 취미

들으며 외우기

어휘력 UPGRADE

---

01 hobby
[háːbi]

명 취미

My **hobby** is reading. 내 **취미**는 책을 읽는 것이다.

---

02 fun
[fʌn]

명 재미, 즐거움 형 재미있는

I had **fun** at the party. 나는 그 파티에서 **재미**있게 놀았다.
The game looks **fun**. 그 게임은 **재미있어** 보인다.

○ have **fun** 재미있게 놀다, 즐겁게 보내다

funny
형 웃기는, 재미있는

---

03 enjoy
[indʒɔ́i]

동 즐기다

I **enjoy** playing tennis. 나는 테니스 치는 것을 **즐긴다**.
She **enjoyed** herself at the beach.
그녀는 해변에서 **즐거운** 시간을 **보냈다**.

○ **enjoy** oneself 즐거운 시간을 보내다

> 시험 POINT '~하는 것을 즐기다'의 영어 표현
>
> 네모 안에서 알맞은 것을 고르시오.
> Do you enjoy │ to cook / cooking │?
> 너는 요리하는 것을 즐기니?
>
> '~하는 것을 즐기다'는
> enjoy -ing로 쓴다.
>
> 정답 cooking

---

04 favorite
[féivərit]

형 가장 좋아하는

What's your **favorite** TV show?
네가 **가장 좋아하는** TV 쇼는 무엇이니?

---

05 movie
[múːvi]

명 영화

I saw a horror **movie** last night.
나는 어젯밤에 공포 **영화**를 봤다.

06 game
[geim]

명 게임, 경기

I play computer **games** in my free time.
나는 여가 시간에 컴퓨터 **게임**을 한다.

---

07 sing
[siŋ]
sang-sung

동 노래하다

She started to **sing**. 그녀는 **노래하기** 시작했다.

singer 명 가수

---

08 song
[sɔːŋ]

명 노래

"Butter" is my favorite **song** by BTS.
BTS의 '버터'는 내가 가장 좋아하는 **노래**이다.

⊕ sing a **song** 노래를 부르다

---

09 dance
[dæns]

동 춤추다 명 춤, 무용

She can **dance** very well. 그녀는 **춤을** 매우 잘 **춘다.**

⊕ a **dance** class 무용 수업

dancer
명 춤추는 사람, 댄서

---

10 draw
[drɔː]
drew-drawn

동 (연필이나 펜으로) 그리다

Draw a flower on the paper.
종이 위에 꽃 한 송이를 **그리세요.**

---

11 paint
[peint]

동 (페인트를) 칠하다, (물감으로) 그리다
명 페인트

He is **painting** the door. 그는 문을 **페인트칠하고** 있다.

painter 명 화가

---

12 watch
[wɑːtʃ]

동 1. 보다, 시청하다 2. 조심하다
명 손목시계

We **watched** TV after dinner.
우리는 저녁 식사 후에 TV를 **봤다.**
Watch your step. 발밑을 **조심하세요.**
His **watch** is very old. 그의 **손목시계**는 매우 낡았다.

13 puzzle
[pʌ́zl]

명 퍼즐

We solved the **puzzle** together.
우리는 그 **퍼즐**을 함께 풀었다.

➕ a crossword **puzzle** 크로스워드 퍼즐

14 magazine
[mǽgəzìːn]

명 잡지

He bought some **magazines**. 그는 **잡지** 몇 권을 샀다.

15 cartoon
[kɑːrtúːn]

명 만화

I enjoy reading the **cartoons** in the magazine.
나는 그 잡지에 실린 **만화**를 즐겨 읽는다.

➕ a **cartoon** character 만화 캐릭터

cartoonist
명 만화가

cartoon(만화)+-ist
(사람)

16 picture
[píktʃər]

명 1. 그림 2. 사진

Look at this **picture**. 이 **그림**을 봐.

Can you take a **picture** of us?
저희 **사진**을 찍어 주실 수 있나요?

➕ take a **picture** (of) (~의) 사진을 찍다

유의어 photo 사진

시험 POINT '사진을 찍다'의 영어 표현

빈칸에 알맞은 단어를 써서 문장을 완성하시오.
You can't _____ pictures here.
당신은 여기에서 사진을 찍으면 안 됩니다.

'사진을 찍다'라고 할 때 동사 take를 쓴다.
정답 take

17 camera
[kǽmərə]

명 사진기, 카메라

This **camera** is easy to use. 이 **카메라**는 사용하기 쉽다.

18 picnic
[píknik]

명 소풍

Let's go on a **picnic** tomorrow. 내일 **소풍** 가자.

➕ go on a **picnic** 소풍 가다

19 party
[páːrti]

몡 파티

Will you come to my birthday **party**?
너는 내 생일 **파티**에 올 거니?

➕ have a birthday **party** 생일 파티를 하다

---

20 balloon
[bəlúːn]

몡 풍선

A boy is holding a **balloon**.
한 남자아이가 **풍선**을 들고 있다.

---

21 interesting
[íntərəstiŋ]

혱 흥미로운, 재미있는

The movie was really **interesting**.
그 영화는 정말 **흥미로웠다**.

interested
혱 관심[흥미] 있는

---

22 usually
[júːʒuəli]

대체로
뫼 대개, 보통

I **usually** go out on weekends.
나는 **보통** 주말마다 밖에 나간다.

---

23 online
[ɔ́nlain]

뫼 온라인으로 혱 온라인의

She likes to watch videos **online**.
그녀는 **온라인으로** 영상을 보는 것을 좋아한다.

➕ **online** shopping 온라인 쇼핑

반의어 offline
오프라인으로;
오프라인의

교과서 필수 암기 숙어

---

24 go for a walk

산책하러 가다

We **went for a walk** after lunch.
우리는 점심 식사 후에 **산책하러 갔다**.

유의어 take a walk 산책하다

---

25 be tired of

~이 지겹다, ~에 싫증 나다

I **am tired of** watching TV. 나는 TV를 보는 것이 **지겹다**.

Daily Test

[01-25] 영어는 우리말로, 우리말은 영어로 쓰시오.

01	fun		13	파티	
02	favorite		14	취미	
03	paint		15	대개, 보통	
04	camera		16	그림, 사진	
05	interesting		17	(연필·펜으로) 그리다	
06	enjoy		18	퍼즐	
07	game		19	잡지	
08	song		20	풍선	
09	movie		21	노래하다	
10	picnic		22	춤추다; 춤, 무용	
11	cartoon		23	시청하다; 손목시계	
12	online				

24　go for a walk

25　~이 지겹다, ~에 싫증 나다

STEP 2 제대로 적용하기

A 단어

주어진 단어를 의미에 맞게 바꿔 쓰시오.

01 paint → 화가 ＿＿＿＿＿＿＿

02 fun → 웃기는, 재미있는 ＿＿＿＿＿＿＿

03 sing → 가수 ＿＿＿＿＿＿＿

04 dance → 춤추는 사람 ＿＿＿＿＿＿＿

05 cartoon → 만화가 ＿＿＿＿＿＿＿

B 구

우리말 의미에 맞게 빈칸에 알맞은 말을 쓰시오.

01 TV를 보다 ＿＿＿＿＿＿＿ TV

02 재미있게 놀다 have ＿＿＿＿＿＿＿

03 노래를 부르다 sing a ＿＿＿＿＿＿＿

04 소풍 가다 go on a ＿＿＿＿＿＿＿

05 흥미로운 영화 an ＿＿＿＿＿＿＿ movie

06 온라인 쇼핑 ＿＿＿＿＿＿＿ shopping

C 문장

빈칸에 알맞은 말을 넣어 문장을 완성하시오.

01 What's your ＿＿＿＿＿＿ movie? 네가 가장 좋아하는 영화는 무엇이니?

02 Why don't we go for a ＿＿＿＿＿＿? 우리 산책하러 가는 게 어때?

03 I'll ＿＿＿＿＿＿ a ＿＿＿＿＿＿ of you. 내가 네 사진을 찍어 줄게.

04 Did you ＿＿＿＿＿＿ yourself at the concert?
너는 그 콘서트에서 즐거운 시간을 보냈니?

05 I'm ＿＿＿＿＿＿ ＿＿＿＿＿＿ playing this game.
나는 이 게임을 하는 것이 지겹다.

01 cook
[kuk]

동 요리하다 명 요리사, 요리하는 사람

I'll **cook** dinner. 내가 저녁을 요리할게.

He is a good **cook**. 그는 훌륭한 요리사이다.

> 🎈 시험 POINT   **cook vs. cooker**
>
> 네모 안에서 알맞은 것을 고르시오.
>
> She is a ⌐cook / cooker⌐ at the restaurant.
>
> 그녀는 그 식당의 요리사이다.

cooker는 '조리 기구'를 뜻한다. cooker를 '요리사'로 혼동하지 않도록 주의한다.

정답 cook

02 cut
[kʌt]
cut-cut

동 자르다, 베다

Cut the onions. 양파를 자르세요.

03 some
[sʌm]

형 조금의, 몇몇의 대 조금, 몇몇

I drank **some** milk. 나는 우유를 조금 마셨다.

I made a cake. Do you want **some**?
나는 케이크를 만들었어. 너 조금 먹을래?

04 boil
[bɔil]

동 끓다, 끓이다, 삶다

She **boiled** some water for tea.
그녀는 차를 마시려고 물을 조금 **끓였다**.

Boil the potatoes for five minutes.
5분 동안 감자를 **삶으세요**.

05 fry
[frai]

동 튀기다, (기름에) 굽다 명 (감자)튀김

He **fried** the chicken for dinner.
그는 저녁으로 닭고기를 **튀겼다**.

'감자튀김'은 fries 또는 French fries라고 해요.

06 bake
[beik]

동 (빵·과자 등을 오븐에) 굽다

I **baked** some cookies. 나는 쿠키를 조금 **구웠다**.

baker 명 제빵사

---

07 mix
[miks]

동 섞다, 섞이다

Mix the butter and sugar. 버터와 설탕을 **섞으세요**.

⊕ **mix** A and B A와 B를 섞다

---

08 order
[ɔ́:rdər]

동 주문하다 명 주문

She **ordered** a pizza. 그녀는 피자를 **주문했다**.

May I take your **order**? 주문하시겠어요?

---

09 dish
[diʃ]

명 1. 접시, (얕은) 그릇 2. 요리

I need a large **dish**. 나는 큰 **접시**가 필요하다.

My favorite Mexican **dish** is tacos.
내가 가장 좋아하는 멕시코 **요리**는 타코이다.

⊕ do[wash] the **dishes** 설거지하다

do[wash] the dishes에서 dishes는 항상 복수형으로 써요.

---

10 bowl
[boul]

명 (우묵한) 그릇, 사발

I ate a **bowl** of cereal for breakfast.
나는 아침으로 시리얼 한 **그릇**을 먹었다.

⊕ a **bowl** of ~ 한 그릇

---

11 bottle
[báːtl]

명 병

He bought a **bottle** of water. 그는 물 한 **병**을 샀다.

⊕ a **bottle** of ~ 한 병

---

12 glass
[glæs]

명 유리, 유리잔

She broke the **glass** bottle. 그녀는 **유리**병을 깨뜨렸다.

He drank a **glass** of water. 그는 물 한 **잔**을 마셨다.

⊕ a **glass** of ~ 한 잔

a glass of는 water, juice, milk 등 유리잔에 따라 마시는 찬 음료와 함께 쓰는 표현이에요.

13 step
[step]

명 1. 단계 2. (발)걸음

What's the next **step**? 다음 단계는 무엇인가요?

My baby brother took his first **step**.
나의 아기 남동생이 첫**걸음**을 내디뎠다.

➕ **step** by **step** 한 걸음 한 걸음, 조금씩 조금씩

---

14 dessert
[dizə́ːrt]

명 후식, 디저트

What do you want for **dessert**?
후식으로 무엇을 원하세요?

desert(사막)와 철자를 혼동하지 않도록 주의하세요.

---

15 juice
[dʒuːs]

명 주스

Do you want some **juice**? 주스 좀 마실래?

---

16 sugar
[ʃúgər]

명 설탕

Don't add too much **sugar**.
설탕을 너무 많이 추가하지 마세요.

sugar에는 -s를 붙이지 않아요. 설탕이나 소금처럼 입자가 너무 작은 것은 개수를 나타내는 것이 불가능하기 때문이에요.

---

17 salt
[sɔːlt]

명 소금

Could you pass me the **salt**?
제게 **소금** 좀 건네주시겠어요?

salty 형 짠, 짭짤한

---

18 pepper
[pépər]

명 1. 후추 2. 고추

He put some **pepper** on his steak.
그는 스테이크에 **후추**를 조금 뿌렸다.

➕ a hot **pepper** 고추

---

19 oil
[ɔil]

명 기름

Fry the onion in hot **oil**. 양파를 뜨거운 **기름**에 튀기세요.

20 honey
[hʌ́ni]

명 꿀

Pooh likes **honey**. 푸우는 **꿀**을 좋아한다.

21 sauce
[sɔːs]

명 소스

He is making tomato **sauce** for the pasta.
그는 파스타에 넣을 토마토 **소스**를 만들고 있다.

22 serve
[səːrv]

동 (음식을) 내다, 차리다

She **served** the soup with bread.
그녀는 빵과 함께 수프를 **내왔다**.

server 명 (식당에서) 서빙하는 사람

23 taste
[teist]

동 ~한 맛이 나다 명 맛

Try this pizza. It **tastes** good!
이 피자 먹어 봐. **맛이 좋아!**

I don't like the **taste** of carrots.
나는 당근의 **맛**을 좋아하지 않는다.

교과서 필수 암기 숙어

24 a piece of

(케이크 등의) 한 조각, (종이) 한 장

I ate **a piece of** cake. 나는 케이크 **한 조각**을 먹었다.
I need **a piece of** paper. 나는 종이 **한 장**이 필요하다.

시험 POINT piece를 이용한 수량 표현

우리말을 영어로 바르게 옮긴 것을 고르시오.

케이크 두 조각

ⓐ two piece of cakes
ⓑ two pieces of cake

'두 조각'이므로 piece에 -s를 붙여야 한다. cake에는 -s를 붙이지 않는다.

정답 ⓑ

25 cut A into B

A를 B(조각)으로 자르다[썰다]

She **cut** the apple **into** four pieces.
그녀는 사과를 네 조각으로 잘랐다.

Daily Test

[01-25] 영어는 우리말로, 우리말은 영어로 쓰시오.

01	bake		13	접시, 요리	
02	honey		14	주문하다; 주문	
03	cut		15	섞다, 섞이다	
04	bowl		16	튀기다, (기름에) 굽다	
05	boil		17	~한 맛이 나다; 맛	
06	sugar		18	유리, 유리잔	
07	some		19	요리하다; 요리사	
08	oil		20	단계, (발)걸음	
09	bottle		21	후식, 디저트	
10	salt		22	후추, 고추	
11	sauce		23	주스	
12	serve				

24 cut A into B

25 ~ 한 조각, ~ 한 장

STEP 2 제대로 적용하기

A
단어

주어진 단어를 의미에 맞게 바꿔 쓰시오.

01 salt   → 짠, 짭짤한   _____

02 bake   → 제빵사   _____

03 serve   → 서빙하는 사람   _____

B
구

우리말 의미에 맞게 빈칸에 알맞은 말을 쓰시오.

01 물 한 병   a _____ of water

02 종이 한 장   a _____ of paper

03 설거지하다   do[wash] the _____

04 후식으로   for _____

05 한 걸음 한 걸음   _____ by _____

C
문장

보기에서 알맞은 말을 골라 문장을 완성하시오.

보기	cook	taste	mix	cut	order

01 Can I take your _____ now? 지금 주문하시겠어요?

02 Please _____ the eggs and milk. 달걀과 우유를 섞으세요.

03 My dad is a good _____. 우리 아빠는 훌륭한 요리사이시다.

04 These cookies _____ sweet. 이 쿠키들은 달콤한 맛이 난다.

05 She _____ the melon into four pieces. 그녀는 멜론을 네 조각으로 잘랐다.

운동

듣으며 외우기

01 sport
[spɔːrt]

명 운동 (경기), 스포츠

What **sports** do you like? 너는 어떤 **운동**을 좋아하니?

---

02 exercise
[éksərsàiz]

명 운동 동 운동하다

Walking is good **exercise**. 걷기는 좋은 **운동**이다.
I **exercise** every day. 나는 매일 **운동한다**.

---

03 gym
[dʒim]

명 체육관, 헬스장

I go to the **gym** every day. 나는 매일 **체육관**에 간다.

---

04 soccer
[sáːkər]

명 축구

I love **soccer**. 나는 **축구**를 아주 좋아한다.

미국에서는 '축구'를 soccer라고 하고, 영국에서는 football이라고 해요.

> 시험 POINT **play + 운동 경기**
>
> 네모 안에서 알맞은 것을 고르시오.
> Let's | play soccer / play the soccer | after school.
> 방과 후에 축구하자.

play 뒤에 운동 경기가 올 때는 the를 쓰지 않는다.

정답 play soccer

---

05 basketball
[bǽskitbɔ̀ːl]

명 농구, 농구공

We played **basketball** in the gym.
우리는 체육관에서 **농구**를 했다.

---

06 baseball
[béisbɔ̀ːl]

명 야구, 야구공

We watched **baseball** on TV. 우리는 TV로 **야구**를 봤다.

07 win
[win]
won-won

통 이기다, 우승하다

France **won** the World Cup in 2018.
프랑스가 2018년 월드컵에서 **우승했다.**

➕ **win** a game 경기에 이기다

winner 명 승자

---

08 lose
[lu:z]
lost-lost

통 1. 지다 2. 잃어버리다

They **lost** the game. 그들은 그 경기에서 **졌다.**
I **lost** my phone yesterday.
나는 어제 내 핸드폰을 **잃어버렸다.**

➕ **lose** a game 경기에 지다

loser 명 패자
반의어 win
이기다, 우승하다

---

09 outside
[àutsáid]

부 밖에서, 밖으로 전 ~의 밖에

We played **outside**. 우리는 밖에서 놀았다.
He waited **outside** the door. 그는 문밖에서 기다렸다.

반의어 inside
안에서, 안으로;
~의 안에

---

10 swim
[swim]
swam-swum

통 수영하다

Can you **swim**? 너는 **수영할** 수 있니?

---

11 ski
[ski:]

통 스키를 타다 명 스키

We go **skiing** every winter.
우리는 겨울마다 **스키를 타러** 간다.

ski의 -ing형은 skiing
(ski+ing)이에요.

---

12 skate
[skeit]

통 스케이트를 타다 명 스케이트

The children were **skating** on the lake.
그 아이들은 호수에서 **스케이트를 타고** 있었다.

---

13 dive
[daiv]
dived[dove]-dived

통 (물속으로) 뛰어들다, 다이빙하다

He **dived** into the pool. 그는 수영장으로 **뛰어들었다.**

¹⁴ **team**
[tiːm]

명 팀

I joined the basketball **team**. 나는 농구**팀**에 들어갔다.

¹⁵ **practice**
[prǽktis]

명 연습   동 연습하다

I have violin **practice** on Thursday afternoon.
나는 목요일 오후에 바이올린 **연습**이 있다.

We have to **practice** badminton.
우리는 배드민턴을 **연습해야** 한다.

¹⁶ **score**
[skɔːr]

명 (경기·시합의) 득점, 점수   동 득점하다 ⌐ 점수를 얻다

What's the **score** now? 지금 **점수**가 어떻게 돼요?

The team **scored** two points. 그 팀은 2점을 **얻었다**.

¹⁷ **goal**
[goul]

명 1. 골, 득점   2. 목표

He scored the first **goal**. 그가 첫 번째 **골**을 넣었다.

Our **goal** is to win the game.
우리의 **목표**는 경기에서 우승하는 것이다.

➕ **score** a goal 골을 넣다

축구 경기에서 골(goal)
을 지키는 사람(keeper)
을 골키퍼(goalkeeper)
라고 해요.

¹⁸ **match**
[mætʃ]

명 경기, 시합

I'm going to watch the tennis **match**.
나는 테니스 **경기**를 볼 것이다.

¹⁹ **race**
[reis]

명 경주

Who won the **race**? 누가 **경주**에서 이겼니?

➕ a car **race** 자동차 경주

20 jog
[dʒɑːg]
jogged-jogged

图 조깅하다

Mike **jogs** every morning. Mike는 매일 아침 **조깅한다**.

---

21 bat
[bæt]

图 1. 배트, 방망이 2. 박쥐

He hit the ball with a **bat**. 그는 **배트**로 공을 쳤다.

Bats fly at night. **박쥐**는 밤에 날아다닌다.

---

22 player
[pléiər]

图 1. (경기·게임의) **선수, 참가자** 2. (악기) **연주자**

Son Heung-min is my favorite soccer **player**.
손흥민은 내가 가장 좋아하는 축구 **선수**이다.

He is an excellent trumpet **player**.
그는 훌륭한 트럼펫 **연주자**이다.

교과서 필수 암기 숙어

23 go -ing

~하러 가다

Let's **go swimming** this Saturday. 이번 주 토요일에 **수영하러 가자**.

➕ **go skiing[skating]** 스키[스케이트]를 타러 가다

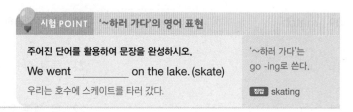

> 시험 POINT   '~하러 가다'의 영어 표현
>
> 주어진 단어를 활용하여 문장을 완성하시오.
> We went _____ on the lake. (skate)
> 우리는 호수에 스케이트를 타러 갔다.
>
> '~하러 가다'는
> go -ing로 쓴다.
> 정답 skating

24 be over

끝나다

This game will **be over** soon. 이 경기는 곧 **끝날** 것이다.

---

25 by the way

(화제를 바꿀 때) 그런데

By the way, what time is it now? **그런데**, 지금 몇 시야?

Daily Test

[01-25] 영어는 우리말로, 우리말은 영어로 쓰시오.

01	win		12	수영하다	
02	gym		13	농구, 농구공	
03	soccer		14	지다, 잃어버리다	
04	ski		15	밖에서; ~의 밖에	
05	race		16	운동; 운동하다	
06	dive		17	운동 (경기), 스포츠	
07	skate		18	팀	
08	baseball		19	선수, 연주자	
09	match		20	연습; 연습하다	
10	bat		21	득점, 점수; 득점하다	
11	jog		22	골, 득점, 목표	

23	be over	
24	go -ing	
25	그런데	

STEP 2 제대로 적용하기

A
단어

주어진 동사의 과거형을 쓰시오.

01 swim → _____   02 win → _____

03 jog → _____   04 dive → _____

B
구

우리말 의미에 맞게 빈칸에 알맞은 말을 쓰시오.

01 축구 선수   a soccer _____

02 테니스 시합   a tennis _____

03 자동차 경주   a car _____

04 문밖에서   _____ the door

05 경기에 이기다   _____ a game

06 골을 넣다   _____ a goal

C
문장

빈칸에 알맞은 말을 넣어 문장을 완성하시오.

01 How often do you _____? 너는 얼마나 자주 운동하니?

02 She _____ her umbrella on the bus. 그녀는 버스에서 우산을 잃어버렸다.

03 My exams are _____. I'm so happy. 시험이 끝났어. 너무 행복해.

04 Let's _____ _____ next week. 다음 주에 스키를 타러 가자.

05 They _____ soccer every Thursday.
그들은 매주 목요일에 축구를 연습한다.

06 _____ _____ _____, what's his name?
그런데, 그의 이름은 무엇이니?

문화와 예술

들으며 외우기

---

01 music
[mjúːzik]

명 음악

I often listen to **music** on the bus.
나는 버스에서 자주 **음악**을 듣는다.

musician
명 음악가, 뮤지션

---

02 musical
[mjúːzikəl]

명 뮤지컬 　형 음악의, 음악적인

The Lion King is my favorite **musical**.
'라이온킹'은 내가 가장 좋아하는 **뮤지컬**이다.

➕ a **musical** instrument 악기

---

03 concert
[káːnsərt]

명 콘서트

I want to go to the **concert**. 나는 그 **콘서트**에 가고 싶다.

---

04 band
[bænd]

명 밴드, 그룹

A **band** is playing in the street.
한 **밴드**가 거리에서 연주하고 있다.

---

05 famous
[féiməs]

형 유명한

She is **famous** for her beautiful voice.
그녀는 아름다운 목소리로 **유명하다**.

➕ be **famous** for ~으로 유명하다

🔖 시험 POINT　'~으로 유명하다'의 영어 표현

네모 안에서 알맞은 것을 고르시오.
Korea is famous ⎡by / for⎤ K-pop.
한국은 케이팝으로 유명하다.

'~으로 유명하다'는
be famous for로
쓴다.

정답 for

---

06 fan
[fæn]

명 1. 팬 2. 부채, 선풍기

I'm a big **fan** of BTS. 나는 BTS의 열혈 **팬**이다.

➕ an electric **fan** 선풍기

07 harmony
[háːrməni]

명 1. (음악의) **화음** 2. 조화, 화합 〈화목하게 어울림〉

The singers sang in **harmony**.
가수들이 **화음**을 맞추어 노래했다.

They lived together in **harmony**.
그들은 **조화**롭게 함께 살았다.

08 art
[ɑːrt]

명 미술, 예술

Art is my favorite subject.
미술은 내가 가장 좋아하는 과목이다.

artist 명 예술가
art(예술)+-ist(사람)

09 museum
[mjuːzíːəm]

명 박물관

The **museum** closes on Mondays.
그 **박물관**은 월요일마다 문을 닫는다.

➕ an art **museum** 미술관

10 gallery
[gǽləri]

명 미술관, 화랑 〈그림·미술품 등을 전시하고 파는 곳〉

We visited a few **galleries** in Paris.
우리는 파리에서 몇몇 **미술관**을 방문했다.

11 film
[film]

명 영화

She loves French **films**.
그녀는 프랑스 **영화**를 아주 좋아한다.

유의어 movie

12 poster
[póustər]

명 포스터

There is a **poster** on the wall. 벽에 **포스터**가 있다.

➕ a movie[film] **poster** 영화 포스터

13 theater
[θíːətər]

명 극장, 영화관

Let's meet in front of the **theater**.
영화관 앞에서 만나자.

14 ticket
[tíkit]

명 표, 입장권

Did you get a **ticket** for the concert?
너는 그 콘서트 표를 구했니?

15 popular
[pápjulər]

형 인기 있는

Anna is very **popular** at school.
Anna는 학교에서 매우 **인기 있다**.

The singer is **popular** with teenagers.
그 가수는 십 대들에게 **인기 있다**.

➕ be **popular** with ~에게 인기 있다

> 🎈 시험 POINT '~에게 인기 있다'의 영어 표현
>
> 네모 안에서 알맞은 것을 고르시오.
> The PE teacher is popular │ to / with │ his students.
> 그 체육 선생님은 그의 학생들에게 인기 있다.

'~에게 인기 있다'는
be popular with로
쓴다.

정답 with

16 show
[ʃou]
showed-shown

동 보여 주다 명 공연, 쇼

Show your tickets, please. 표를 보여 주세요.

➕ a TV **show** TV 쇼

17 role
[roul]

명 역할, (영화·연극에서 배우의) 배역

He played the **role** of the king in the movie.
그는 그 영화에서 왕의 **역할**을 맡았다.

특정한 역할을 맡아 연기
하는 활동을 role-play
(역할극)라고 해요.

18 culture
[kʌ́ltʃər]

명 문화

Tony is interested in Korean **culture**.
Tony는 한국 **문화**에 관심이 있다.

cultural 형 문화적인

¹⁹ novel
[nάːvl]

명 소설

I like to read **novels**. 나는 **소설**을 읽는 것을 좋아한다.

²⁰ title
[táitl]

명 제목

What's the **title** of his new song?
그의 신곡 **제목**이 뭐야?

²¹ story
[stɔ́ːri]

명 이야기

He told us a sad **story**.
그는 우리에게 슬픈 **이야기**를 해 주었다.

²² magic
[mǽdʒik]

명 마법, 마술   형 마법의, 마술의

The **magic** show was fantastic.
그 **마술** 쇼는 환상적이었다.

magician 명 마술사
magical
형 마법 같은, 아주 멋진

교과서 필수 암기 숙어 ....

²³ show up

나타나다, (모습을) 드러내다

She **showed up** late for the meeting.
그녀는 회의에 늦게 **나타났다**.

---

²⁴ have a seat

자리에 앉다

Welcome! Please **have a seat**.
잘 오셨습니다! **자리에 앉으세요**.

비교 sit down(앉다)보다 공손한 표현이에요.

---

²⁵ go to the movies

영화 보러 가다

Let's **go to the movies** tomorrow.
내일 **영화 보러 가자**.

주의 go to the movies에서 movies는 항상 복수형으로 써요.

Daily Test

[01-25] 영어는 우리말로, 우리말은 영어로 쓰시오.

01	novel		12	유명한	
02	story		13	콘서트	
03	music		14	뮤지컬; 음악의	
04	poster		15	역할, 배역	
05	gallery		16	극장, 영화관	
06	art		17	인기 있는	
07	band		18	화음, 조화, 화합	
08	film		19	보여 주다; 공연	
09	fan		20	제목	
10	ticket		21	박물관	
11	magic		22	문화	

23 have a seat

24 show up

25 영화 보러 가다

STEP 2 제대로 적용하기

A
단어

주어진 단어를 의미에 맞게 바꿔 쓰시오.

01 art　　　→　예술가　　　_____

02 music　　→　음악가　　　_____

03 magic　　→　마술사　　　_____

04 culture　→　문화적인　　_____

B
구

우리말 의미에 맞게 빈칸에 알맞은 말을 쓰시오.

01 음악을 듣다　　　listen to _____

02 슬픈 이야기　　　a sad _____

03 악기　　　　　　a _____ instrument

04 미술관　　　　　an _____ museum

05 자리에 앉다　　　have a _____

C
문장

빈칸에 알맞은 말을 넣어 문장을 완성하시오.

01 Brad Pitt is a very _____ actor. 브래드 피트는 매우 유명한 배우이다.

02 We went to the _____ yesterday. 우리는 어제 영화를 보러 갔다.

03 The children started to sing in _____.
그 아이들은 화음을 맞추어 노래하기 시작했다.

04 She didn't _____ _____ at the party.
그녀는 파티에 나타나지 않았다.

05 The movie is _____ _____ young people.
그 영화는 젊은 사람들에게 인기 있다.

DAY 20

여행

들으며 외우기

어휘력 UPGRADE

---

01 travel
[trǽvəl]

동 여행하다, 이동하다   명 여행, 이동

He **traveled** by train. 그는 기차로 **여행했다**.

➕ space **travel** 우주여행

---

02 trip
[trip]

명 여행

We'll go on a **trip** to Jeju-do this summer.
우리는 이번 여름에 제주도로 **여행**을 갈 것이다.

➕ go on a **trip** 여행을 가다   a field **trip** 현장 학습

현장 학습(field trip)이나 출장(business trip)처럼 특정한 목적이 있어 다녀오는 여행을 가리킬 때 주로 trip이라고 해요.

---

03 plan
[plæn]
planned-planned

명 계획   동 계획하다

We have a special **plan** for this weekend.
우리는 이번 주말에 특별한 **계획**이 있다.

I'm **planning** to go to Busan.
나는 부산에 가는 것을 **계획하고** 있다.

➕ **plan** to ~하는 것을 계획하다

---

04 pack
[pæk]

동 1. (짐을) 싸다, 챙기다   2. 포장하다

Did you **pack** your toothbrush? 너는 칫솔을 **챙겼니**?
He carefully **packed** the gifts.
그는 조심스럽게 선물들을 **포장했다**.

반의어 unpack
(짐을) 풀다

---

05 backpack
[bǽkpæ̀k]

명 배낭

She is wearing a heavy **backpack**.
그녀는 무거운 **배낭**을 메고 있다.

---

06 holiday
[hɑ́:lədèi]

명 휴일, 공휴일

Do you have any plans for the **holiday**?
너는 **휴일**에 계획이 있니?

07 map
[mæp]

명 지도

Can you find the hotel on the **map**?
지도에서 그 호텔을 찾을 수 있나요?

---

08 book
[buk]

명 책 동 예약하다

I borrowed two **books**. 나는 **책** 두 권을 빌렸다.
We **booked** a hotel room. 우리는 호텔 방을 **예약했**다.

---

09 leave
[li:v]
left-left

동 떠나다, 출발하다

The bus **leaves** at 8:30. 그 버스는 8시 30분에 **출발한다**.
They **left** for London this morning.
그들은 오늘 아침 런던으로 **떠났다**.

➕ **leave** for ~으로 떠나다

---

10 arrive
[əráiv]

동 도착하다

She'll **arrive** in New York at noon.
그녀는 정오에 뉴욕에 **도착할** 것이다.

➕ **arrive** in[at] ~에 도착하다

arrival 명 도착
반의어 leave
출발하다

> 시험 POINT '~에 도착하다'의 영어 표현
>
> 우리말을 영어로 바르게 옮긴 것을 고르시오.
>
> 그는 공항에 도착했다.
>
> ⓐ He arrived the airport.
> ⓑ He arrived at the airport.

'~에 도착하다'라고 할
때 arrive 뒤에 at[in]
을 써야 한다.

정답 ⓑ

---

11 stay
[stei]

동 머무르다, 계속[그대로] 있다

We **stayed** home all day long.
우리는 하루 종일 집에 **머물렀**다.

➕ **stay** (at) home 집에 머무르다

외국인의 가정집(home)
에서 지내는(stay) 것을
홈스테이(homestay)라
고 해요.

---

12 beach
[bi:tʃ]

명 해변

They spent the day at the **beach**.
그들은 **해변**에서 하루를 보냈다.

13 lake
[leik]

명 호수

Some boys are swimming in the **lake**.
몇몇 남자아이들이 **호수**에서 수영하고 있다.

14 mountain
[máuntən]

명 산

We are going to climb a **mountain**.
우리는 **산**에 오를 것이다.

⊕ **Mount** Everest 에베레스트 산

mountain을 줄여서 Mount 또는 Mt라고 해요.

15 island
[áilənd]

명 섬

He spent a week on the **island**.
그는 그 **섬**에서 일주일을 보냈다.

island의 s는 소리가 나지 않는 묵음이므로 발음과 철자에 주의하세요.

16 amusement
[əmjúːzmənt]

명 재미, 오락

The **amusement** park opens at 10 a.m.
그 **놀이**공원은 오전 10시에 개장한다.

17 camping
[kǽmpiŋ]

명 캠핑, 야영

They go **camping** on weekends.
그들은 주말마다 **캠핑**을 간다.

⊕ go **camping** 캠핑을 가다

camp
명 야영지, 캠프
동 야영하다

18 hiking
[háikiŋ]

명 하이킹, 도보 여행 〔걷기〕

Let's go **hiking** on Sunday. 일요일에 **하이킹** 가자.

⊕ go **hiking** 하이킹을 가다   **hiking** boots 등산화

hike 동 하이킹하다

hike는 산책로를 걷거나 높지 않은 산을 오르는 것을 뜻하고, climb은 가파른 암벽이나 높은 산을 등반하는 것을 뜻해요.

19 guide
[gaid]

명 (여행) 가이드, 안내자   동 안내하다

We need a **guide** for our trip.
우리는 여행을 위해 **가이드**가 필요하다.

She **guided** us outside. 그녀는 우리들을 밖으로 **안내했다**.

20 view
[vjuː]

명 1. 경치, 전망　2. 의견

└ 멀리 바라보이는 풍경

The room has a great **view**. 그 방은 **전망**이 훌륭하다.

➕ in my **view** 내 의견으로는, 내 생각에는

---

21 amazing
[əméiziŋ]

형 놀라운, 굉장한

I have some **amazing** news. **놀라운** 소식이 있어요.

---

22 exciting
[iksáitiŋ]

형 신나게 하는, 흥미진진한

└ 흥미롭고 대단히 재미있는

The roller coaster was very **exciting**.
그 롤러코스터는 매우 **재미있었다**.

excited
형 신이 난, 흥분한

> 시험 POINT **exciting vs. excited**
>
> 네모 안에서 알맞은 것을 고르시오.
> The soccer game was | exciting / excited |.
> 그 축구 경기는 흥미진진했다.
>
> 신나게 하거나 흥미진진한 대상을 묘사할 때 exciting을 쓴다.
> 정답 exciting

---

23 return
[ritə́ːrn]

동 1. 돌아오다, 돌아가다　2. 반납하다

└ 도로 돌려주다

He **returned** from his trip last night.
그는 어젯밤에 여행에서 **돌아왔다**.

I **returned** the books to the library.
나는 그 책들을 도서관에 **반납했다**.

 교과서 필수 암기 숙어

24 fly to

~에 비행기를 타고 가다

They will **fly to** Rome. 그들은 로마에 **비행기를 타고 갈** 것이다.

---

25 check in

(호텔에서) 숙박 수속을 하다

A Welcome to the Star Hotel. How may I help you?
스타 호텔에 오신 것을 환영합니다. 무엇을 도와드릴까요?

B Good afternoon. I'd like to **check in**, please.
안녕하세요. 저는 **숙박 수속을 하고** 싶습니다.

반의어 check out (호텔에서) 계산을 하고 나오다

Daily Test

[01-25] 영어는 우리말로, 우리말은 영어로 쓰시오.

01	map		13	산	
02	trip		14	책; 예약하다	
03	pack		15	해변	
04	stay		16	계획; 계획하다	
05	backpack		17	떠나다, 출발하다	
06	lake		18	도착하다	
07	hiking		19	캠핑, 야영	
08	holiday		20	여행하다; 여행	
09	amazing		21	섬	
10	amusement		22	안내자; 안내하다	
11	return		23	신나게 하는	
12	view				

24 fly to

25 숙박 수속을 하다

STEP 2 제대로 적용하기

A
단어

주어진 말을 지시대로 바꿔 쓰시오.

01 arrive → 반의어 _____

02 pack → 반의어 _____

03 check in → 반의어 _____ _____

B
구

우리말 의미에 맞게 빈칸에 알맞은 말을 쓰시오.

01 놀이공원   an _____ park

02 현장 학습   a field _____

03 등산화   _____ boots

04 캠핑을 가다   go _____

05 산에 오르다   climb a _____

C
문장

빈칸에 알맞은 말을 넣어 문장을 완성하시오.

01 The train will _____ soon. 그 기차는 곧 도착할 것이다.

02 I want to _____ home tonight. 나는 오늘 밤에 집에 머무르고 싶다.

03 You can _____ _____ at 3 p.m.
당신은 오후 3시에 숙박 수속을 할 수 있습니다.

04 She'll _____ _____ Busan tomorrow morning.
그녀는 내일 아침 부산에 비행기를 타고 갈 것이다.

05 We're going to _____ _____ Beijing next week.
우리는 다음 주에 베이징으로 떠날 것이다.

01 사람을 나타내는 단어가 <u>아닌</u> 것은? 🔗 DAY 17 시험 POINT

① dancer   ② artist   ③ baker
④ cooker   ⑤ cartoonist

02 짝지어진 단어의 관계가 〈보기〉와 같은 것은?

> 보기   play – player

① winner – win   ② culture – cultural   ③ music – musical
④ hiking – hike   ⑤ arrive – arrival

03 빈칸에 공통으로 들어갈 단어로 알맞은 것은?

> • You should not _____ too much TV.
> • Please _____ your step.

① see   ② walk   ③ show
④ watch   ⑤ practice

04 우리말과 일치하도록 할 때 빈칸에 들어갈 말이 순서대로 짝지어진 것은?
🔗 DAY 19, 20 시험 POINT

> • 그것은 매우 흥미진진한 경기였다.
>   → It was a very _____ match.
> • 그 게임은 많은 십 대들에게 인기 있다.
>   → The game is popular _____ many teenagers.

① excited – to   ② excited – with   ③ exciting – to
④ exciting – with   ⑤ exciting – of

05 밑줄 친 부분의 의미가 <u>어색한</u> 것은?

① He didn't <u>show up</u> again. (나타나다)

② I will <u>do the dishes</u>. (요리를 하다)

③ When will this show <u>be over</u>? (끝나다)

④ They often <u>go for a walk</u> in the park. (산책하러 가다)

⑤ We went on <u>a field trip</u> to the museum. (현장 학습)

06 밑줄 친 단어의 쓰임이 <u>어색한</u> 것은?

① Have a <u>seat</u>, please.

② Did you have <u>fun</u> last night?

③ I'm <u>tired</u> of eating hamburgers.

④ She had ice cream for <u>dessert</u>.

⑤ We go to the <u>movie</u> on weekends.

07 각 네모 (A)와 (B)에서 알맞은 말을 골라 쓰시오. 🔗 DAY 16, 18 시험 POINT

서술형

- Did you enjoy (A) | to read / reading | that book?
- They go (B) | to swim / swimming | every weekend.

(A) _____   (B) _____

08 우리말과 일치하도록 주어진 단어를 사용하여 문장을 완성하시오. 🔗 DAY 17 시험 POINT

서술형

그녀는 케이크 세 조각을 먹었다. (piece, cake)

→ She ate _____.

PART 5

집과 가구

어휘력 UPGRADE

01 **house**
[haus]

명 집

They live in the biggest **house** in town.
그들은 마을에서 가장 큰 **집**에 산다.

02 **living room**
[líviŋ ru:m]

명 거실

There is a sofa in the **living room**.
거실에 소파가 있다.

03 **bedroom**
[bédrù:m]

명 침실

The house has three **bedrooms**.
그 집은 **침실**이 세 개 있다.

04 **bathroom**
[bǽθrù:m]

명 화장실, 욕실

She is cleaning the **bathroom**.
그녀는 **화장실**을 청소하고 있다.

욕조나 샤워기가 있는 화장실은 bathroom, 공공장소에 있는 화장실은 주로 restroom이라고 불러요.

05 **kitchen**
[kítʃən]

명 부엌

Dad is making sandwiches in the **kitchen**.
아빠는 **부엌**에서 샌드위치를 만들고 계신다.

06 **garden**
[gáːrdn]

명 정원

My grandmother grows vegetables in her
garden. 우리 할머니는 **정원**에서 채소를 키우신다.

07 **roof**
[ru:f]

명 지붕

I saw a cat on the **roof**.
나는 **지붕** 위에 있는 고양이를 보았다.

08 apartment
[əpáːrtmənt]

명 아파트

We moved into an **apartment**.
우리는 **아파트**로 이사했다.

---

09 stair
[stɛər]

명 계단

I went up the **stairs**. 나는 **계단**을 올라갔다.

➊ go up[down] the **stairs** 계단을 올라가다[내려가다]

계단은 두 개 이상의 층계가 모인 것이므로 복수형인 stairs로 써요.

---

10 floor
[flɔːr]

명 1. (실내의) **바닥** 2. (건물의) **층**

The vase fell on the kitchen **floor**.
꽃병이 부엌 **바닥**에 떨어졌다.

➊ on the second **floor** 2층에

층수를 나타낼 때 floor 앞의 숫자는 서수(first, second, third, ...)로 써요.

> 시험 POINT   floor를 이용한 표현
>
> 네모 안에서 알맞은 것을 고르시오.
> The man lives on the │ three / third │ floor of the building.
> 그 남자는 그 건물의 3층에 산다.
>
> 건물의 층수는 서수로 쓴다.
>
> 정답 third

---

11 door
[dɔːr]

명 문

Can you open the **door** for me? 문 좀 열어 주실래요?

---

12 knock
[nɑːk]

동 (문을) **두드리다, 노크하다**

He carefully **knocked** on the door.
그는 조심스럽게 문을 **두드렸다**.

knock의 첫 번째 k는 소리가 나지 않는 묵음이므로 발음과 철자에 주의하세요.

---

13 ring
[riŋ]
rang-rung

명 **반지** 동 (전화·벨·종이) **울리다**

He gave her a diamond **ring**.
그는 그녀에게 다이아몬드 **반지**를 주었다.

The doorbell is **ringing**. 초인종이 **울리고** 있다.

14 window
[wíndou]

명 창문

Someone broke a **window**. 누군가가 **창문**을 깨뜨렸다.

---

15 wall
[wɔːl]

명 벽

He is painting the **walls**. 그는 **벽**을 페인트칠하고 있다.

> 시험 POINT **'벽에'의 영어 표현**
>
> 네모 안에서 알맞은 것을 고르시오.
> There is a clock | on / in | the wall.
> 벽에 시계가 있다.

벽에 붙어 있는 사물의 위치를 나타낼 때는 on the wall로 쓴다.

정답 on

---

16 curtain
[kə́ːrtn]

명 커튼

She closed the **curtains**. 그녀는 **커튼**을 쳤다.

---

17 table
[téibl]

명 탁자, 식탁

The girl is hiding under the **table**.
그 여자아이는 **탁자** 아래에 숨어 있다.

➕ set the **table** 상을 차리다

---

18 television
[téləvìʒən]

명 텔레비전, TV

We usually watch **television** after dinner.
우리는 보통 저녁 식사 후에 **텔레비전**을 본다.

➕ on **television[TV]** TV에서

television을 줄여서 TV 라고 해요.

---

19 computer
[kəmpjúːtər]

명 컴퓨터

Can I use your **computer**?
네 **컴퓨터**를 써도 될까?

20 shelf
[ʃelf]
복수형 shelves

명 선반

I put the album on the **shelf**.
나는 그 앨범을 **선반** 위에 두었다.

➊ a bookshelf 책꽂이

---

21 next
[nekst]

형 다음의 부 다음에

I'll see you **next** time. 다음번에 봐요.
What happened **next**? 다음에 무슨 일이 일어났나요?

➊ **next** time 다음번에

---

22 inside
[insáid]

전 ~의 안에 부 안에, 안으로

What's **inside** the box? 그 상자 **안에** 무엇이 있나요?
It's cold. Let's go **inside**. 춥다. **안으로** 들어가자.

반의어 outside
~의 밖에; 밖에, 밖으로

---

23 around
[əráund]

전 ~ 주위에, ~을 둘러싸고

They sat **around** the table. 그들은 식탁에 **둘러**앉았다.

교과서 필수 암기 숙어 ....

24 turn on

~을 켜다

He **turned on** his computer. 그는 컴퓨터를 **켰다**.

반의어 turn off ~을 끄다

---

25 right away

즉시, 곧바로

I'll call him **right away**. 그에게 **즉시** 전화할게요.

유의어 right now 지금 당장

Daily Test

[01-25] 영어는 우리말로, 우리말은 영어로 쓰시오.

01	house		13	침실	
02	bathroom		14	부엌	
03	floor		15	지붕	
04	curtain		16	거실	
05	ring		17	다음의; 다음에	
06	door		18	창문	
07	wall		19	선반	
08	around		20	(문을) 두드리다	
09	garden		21	～의 안에; 안으로	
10	stair		22	컴퓨터	
11	table		23	텔레비전, TV	
12	apartment				

| 24 | right away | |
| 25 | ～을 켜다 | |

STEP 2 제대로 적용하기

A
단어

주어진 말을 지시대로 바꿔 쓰시오.

01 inside   → 반의어 _____

02 right away → 유의어 _____ _____

03 turn on   → 반의어 _____ _____

B
구

우리말 의미에 맞게 빈칸에 알맞은 말을 쓰시오.

01 책꽂이   a _____

02 다음번에   _____ time

03 벽에   on the _____

04 계단을 올라가다   go up the _____

05 식탁 주위에   _____ the table

C
문장

빈칸에 알맞은 말을 넣어 문장을 완성하시오.

01 Please _____ _____ the lights. 전등을 켜 주세요.

02 The house has a beautiful _____. 그 집에는 아름다운 정원이 있다.

03 He is cleaning the bathroom _____. 그는 화장실 바닥을 청소하고 있다.

04 They were watching TV in the _____ _____.
그들은 거실에서 TV를 보고 있었다.

05 I saw the Olympic Games _____ _____.
나는 TV에서 올림픽 경기를 보았다.

생활용품 들으며 외우기

---

01 need
[niːd]

동 필요하다

I **need** a pen. 나는 펜이 **필요하다**.

We **need** to hurry. 우리는 서두를 **필요가 있다**.

➕ **need** to ~할 필요가 있다, ~해야 한다

---

02 pencil
[pénsəl]

명 연필

He is drawing a picture with a **pencil**.
그는 **연필**로 그림을 그리고 있다.

➕ a **pencil** case 필통

---

03 eraser
[iréisər]

명 지우개

Can I borrow your **eraser**? 네 **지우개** 좀 빌려도 될까?

---

04 paper
[péipər]

명 종이

I wrote my name on the **paper**.
나는 **종이** 위에 내 이름을 썼다.

➕ a piece of **paper** 종이 한 장

'종이'라는 뜻의 paper는 셀 수 없으므로 a paper, papers라고 쓸 수 없어요. '종이 한 장'은 a piece of paper, '종이 두 장'은 two pieces of paper로 써요.

🎈 **시험 POINT** 종이를 세는 단위

우리말을 영어로 바르게 옮긴 것을 고르시오.

나는 종이 세 장이 필요하다.

ⓐ I need three papers.
ⓑ I need three pieces of paper.

종이의 장수를 나타낼 때 piece를 사용한다.

정답 ⓑ

---

05 sheet
[ʃiːt]

명 1. 침대 시트 2. (종이) 한 장

She changed the **sheets** for the new guests.
그녀는 새 손님들을 위해 **침대 시트**를 교체했다.

➕ a **sheet** of paper 종이 한 장

종이의 장수를 나타낼 때 piece 대신 sheet를 쓰기도 해요.

---

06 ruler
[rúːlər]

명 자

Draw a straight line with a **ruler**. 자로 직선을 그려라.

---

07 glue
[gluː]

명 풀, 접착제 동 (풀이나 접착제로) **붙이다**

I need **glue** for art class.
나는 미술 시간에 쓸 **풀**이 필요하다.

He **glued** the poster on the wall.
그는 벽에 포스터를 **붙였다**.

---

08 photo
[fóutou]
복수형 photos

명 사진

She posted the **photos** on her blog.
그녀는 그녀의 블로그에 그 **사진들**을 게시했다.

photographer
명 사진작가

photograph를 줄여서
photo라고 해요.

---

09 frame
[freim]

명 틀, 액자

He painted the window **frame**.
그는 창**틀**을 페인트칠했다.

➕ a picture[photo] **frame** 사진 액자

---

10 painting
[péintiŋ]

명 (물감으로 그린) 그림

I love Van Gogh's **paintings**.
나는 반 고흐의 **그림**을 아주 좋아한다.

paint 동 (물감으로)
칠하다, 그리다

picture는 그림·사진을
모두 가리키고, painting
은 물감으로 그린 그림만
가리켜요.

---

11 envelope
[énvəlòup]

명 봉투

I quickly opened the **envelope**.
나는 재빨리 **봉투**를 열었다.

---

12 stamp
[stæmp]

명 1. 우표 2. 도장

You need to put a **stamp** on the envelope.
너는 봉투에 **우표**를 붙여야 한다.

➕ a date **stamp** 날짜 도장

13 key
[ki:]

명 열쇠

I lost my **key.** 나는 내 **열쇠**를 잃어버렸다.

14 basket
[bǽskit]

명 바구니

There are some apples in the **basket.**
바구니 안에 사과가 몇 개 있다.

15 lamp
[læmp]

명 전등

This **lamp** is too bright. 이 **전등**은 너무 밝다.

16 locker
[lɑ́:kər]

명 사물함

I left the notebook in my **locker.**
나는 내 **사물함** 안에 그 공책을 두고 왔다.

lock
동 잠그다 명 자물쇠

17 soap
[soup]

명 비누

Wash your hands with **soap.** **비누**로 손을 씻어라.

18 towel
[táuəl]

명 수건

She dried her hair with a **towel.**
그녀는 **수건**으로 머리카락을 말렸다.

➕ a beach **towel** 비치 타월(해변용 수건)

19 toothbrush
[tú:θbrʌʃ]

명 칫솔

We need to buy new **toothbrushes.**
우리는 새 **칫솔**을 사야 한다.

tooth(이)+brush(솔)

'치약'은 toothpaste라
고 해요.

20 calendar
[kǽləndər]

명 달력

He put the **calendar** on his desk.
그는 **달력**을 책상 위에 올려놓았다.

21 battery
[bǽtəri]

명 건전지, 배터리

I changed the **batteries** in the clock.
나는 시계의 **건전지**를 교체했다.

22 find
[faind]
found-found

동 찾다, 발견하다

I can't **find** my phone. 나는 내 핸드폰을 **찾을** 수 없다.

23 useful
[júːsfəl]

쓸모가 있는
형 유용한, 도움이 되는

This backpack is **useful** for hiking.
이 배낭은 하이킹에 **유용하다**.

➕ **useful** information 유용한 정보

use 동 사용하다

교과서 필수 암기 숙어

24 use up

~을 다 쓰다

We **used up** all the toilet paper.
우리는 휴지를 다 썼어.

25 both A and B

A와 B 둘 다

I want to buy **both** a computer **and** a bike.
나는 컴퓨터**와** 자전거 **둘 다** 사고 싶다.

시험 POINT **both A and B**

네모 안에서 알맞은 것을 고르시오.
She can speak both English and / or French.
그녀는 영어와 프랑스어를 둘 다 말할 수 있다.

'영어와 프랑스어 둘 다'는 both English and French로 쓴다.

정답 and

Daily Test

[01-25] 영어는 우리말로, 우리말은 영어로 쓰시오.

01	paper		13	지우개	
02	photo		14	연필	
03	need		15	우표, 도장	
04	glue		16	봉투	
05	locker		17	비누	
06	basket		18	칫솔	
07	sheet		19	(물감으로 그린) 그림	
08	towel		20	찾다, 발견하다	
09	ruler		21	달력	
10	lamp		22	열쇠	
11	frame		23	유용한, 도움이 되는	
12	battery				

24 use up

25 A와 B 둘 다

STEP 2 제대로 적용하기

A
단어

주어진 단어를 의미에 맞게 바꿔 쓰시오.

01 lock → 사물함 _____

02 use → 유용한, 도움이 되는 _____

03 paint → (물감으로 그린) 그림 _____

04 photo → 사진작가 _____

B
구

우리말 의미에 맞게 빈칸에 알맞은 말을 쓰시오.

01 사진 액자 a picture[photo] _____

02 필통 a _____ case

03 날짜 도장 a date _____

04 해변용 수건 a beach _____

C
문장

보기 에서 알맞은 말을 골라 문장을 완성하시오.

보기	used	and	need	piece	both	useful

01 You _____ to exercise. 너는 운동할 필요가 있다.

02 Thank you for the _____ information. 유용한 정보를 주셔서 감사합니다.

03 I _____ up all the glue during art class. 나는 미술 시간에 풀을 다 썼다.

04 She picked up a _____ of paper. 그녀는 종이 한 장을 집어 들었다.

05 He can play _____ the piano _____ the violin.
그는 피아노와 바이올린을 둘 다 연주할 수 있다.

사물 묘사 들으며 외우기

어휘력 UPGRADE

---

01 thing
[θiŋ]

몡 1. 것, 물건 2. 일

What is that **thing** on the table?
탁자 위에 있는 저 **물건**은 뭐예요?

➕ **things** to do 해야 할 일들

---

02 color
[kʌ́lər]

몡 색

What **color** is her hair? 그녀의 머리카락은 무슨 **색**이에요?

---

03 new
[nju:]

혱 새로운

I bought a **new** bike. 나는 새 자전거를 샀다.

반의어 old
낡은, 오래된

---

04 hot
[hɑːt]

혱 1. 더운, 뜨거운 2. 매운

The water is very **hot**. 물이 매우 **뜨겁다**.

➕ **hot** curry 매운 카레

유의어 spicy
매운, 매콤한

---

05 cold
[kould]

혱 추운, 차가운 몡 감기

It's **cold** outside. 바깥이 **춥다**.
I had a **cold**. 나는 **감기**에 걸렸다.

➕ have a **cold** 감기에 걸리다

반의어 hot
더운, 뜨거운

'추우면(cold) 감기(cold)에 걸린다'로 외워보세요.

---

06 wet
[wet]

혱 젖은, 축축한

The floor is **wet**. 바닥이 젖어 있다.

---

07 dry
[drai]

혱 마른, 건조한 동 말리다, 마르다

The weather is hot and **dry**. 날씨가 덥고 **건조하다**.
He **dried** his hair. 그는 머리카락을 **말렸다**.

반의어 wet 젖은

---

08 **hard**
[hɑ:rd]

형 1. 딱딱한, 단단한 2. 어려운, 힘든
부 열심히

The ground is **hard**. 땅이 **딱딱하다**.
He had a **hard** day. 그는 **힘든** 하루를 보냈다.
I studied **hard**. 나는 **열심히** 공부했다.

> 시험 POINT **hard의 의미**
>
> 밑줄 친 단어와 바꿔 쓸 수 있는 것을 고르시오.
> The test was really <u>hard</u>.
> ⓐ easy   ⓑ difficult   ⓒ great

그 시험은 정말 어려웠
다.
ⓐ 쉬운 ⓑ 어려운
ⓒ 훌륭한

정답 ⓑ

09 **soft**
[sɔ:ft]

형 부드러운, 푹신한

This blanket feels very **soft**. 이 담요는 매우 **부드럽다**.

반의어 hard
딱딱한, 단단한

10 **clean**
[kli:n]

형 깨끗한 동 청소하다

The kitchen is **clean**. 부엌이 **깨끗하다**.
I **clean** my room every day. 나는 매일 내 방을 **청소한다**.

11 **dirty**
[də́:rti]

형 더러운, 지저분한

Your hands are **dirty**. Go and wash them.
네 손이 **더럽구나**. 가서 손 씻으렴.

반의어 clean 깨끗한

12 **heavy**
[hévi]

형 무거운

The box is very **heavy**. 그 상자는 매우 **무겁다**.

13 **sharp**
[ʃɑ:rp]

형 날카로운, 뾰족한

Sharks have **sharp** teeth.
상어는 **날카로운** 이빨을 가지고 있다.

14 light
[lait]

명 빛, 불빛, 전등
형 1. 밝은, 연한 2. 가벼운

She turned off the **light**. 그녀는 **전등**을 껐다.
He has **light** brown hair. 그는 **연한** 갈색 머리이다.
This bag is **light**. 이 가방은 **가볍다**.

반의어 heavy 무거운

---

15 dark
[dɑːrk]

형 어두운, 캄캄한 명 어둠

It's so **dark**. I can't see. 너무 **어두워**. 보이지 않아.
● in the **dark** 어둠 속에서

반의어 light 밝은

---

16 fast
[fæst]

형 빠른 부 빨리

He is a **fast** swimmer. 그는 **빠른** 수영 선수이다.
She can run very **fast**. 그녀는 매우 **빨리** 달릴 수 있다.

유의어 quick 빠른
　　　 quickly 빨리

fast는 형용사와 부사의
형태가 같아요.

> **시험 POINT** 부사 fast
>
> 네모 안에서 알맞은 것을 고르시오.
> Don't drive too | fast / fastly |.
> 너무 빨리 운전하지 마세요.

'빨리'라고 할 때 fast
에 -ly를 붙이지 않도록
주의한다.
정답 fast

---

17 slow
[slou]

형 느린, 더딘

My computer is too **slow**. 내 컴퓨터는 너무 **느리다**.

slowly 부 천천히
반의어 fast 빠른

---

18 same
[seim]

형 같은, 똑같은

They are wearing the **same** T-shirt.
그들은 **똑같은** 티셔츠를 입고 있다.

same 앞에는 the를
써요.

---

19 different
[difərənt]

형 다른

Tom is **different** from his brother.
Tom은 그의 남동생과 **다르다**.
● be **different** from ~와 다르다

20 safe
[seif]

형 안전한

He found a **safe** place for the children.
그는 그 아이들을 위한 **안전한** 장소를 찾았다.

safety 명 안전

---

21 dangerous
[déindʒərəs]

형 위험한

Don't play with fire. It's very **dangerous**.
불장난하지 마라. 그것은 매우 **위험하다**.

danger 명 위험
반의어 safe 안전한

---

22 loud
[laud]

형 (소리가) 큰, 시끄러운

The music is too **loud**. 음악이 너무 **시끄럽다**.

❷ in a **loud** voice 큰 목소리로

반의어 quiet 조용한

---

23 too
[tu:]

부 1. 너무 2. ~도

This cake is **too** sweet. 이 케이크는 **너무** 달다.
I love you **too**. 나**도** 너를 사랑해.

교과서 필수 암기 숙어

24 look like

~처럼 보이다

The cloud **looks like** a rabbit.
그 구름은 토끼**처럼 보인다**.

주의 look like 뒤에는 명사나 대명사가 와요.

---

25 over and over

반복해서, 몇 번이고

He is listening to the same song **over and over**.
그는 같은 노래를 **반복해서** 듣고 있다.

유의어 again and again

Daily Test

[01-25] 영어는 우리말로, 우리말은 영어로 쓰시오.

01 color

02 dark

03 soft

04 dirty

05 hot

06 slow

07 new

08 wet

09 too

10 thing

11 same

12 safe

13 추운, 차가운; 감기

14 깨끗한; 청소하다

15 빛, 전등; 밝은, 가벼운

16 날카로운, 뾰족한

17 마른, 건조한; 말리다

18 무거운

19 (소리가) 큰, 시끄러운

20 빠른; 빨리

21 딱딱한, 어려운; 열심히

22 다른

23 위험한

24 over and over

25 ~처럼 보이다

STEP 2　제대로 적용하기

A
단어

주어진 단어를 지시대로 바꿔 쓰시오.

01　dirty　→　반의어　_____

02　safe　→　반의어　_____

03　wet　→　반의어　_____

04　loud　→　반의어　_____

05　fast　→　반의어　_____

B
구

우리말 의미에 맞게 빈칸에 알맞은 말을 쓰시오.

01　어둠 속에서　　in the _____

02　큰 목소리로　　in a _____ voice

03　연한 갈색　　_____ brown

04　날카로운 이빨　　_____ teeth

C
문장

빈칸에 알맞은 말을 넣어 문장을 완성하시오.

01　He worked _____ all day.　그는 하루 종일 열심히 일했다.

02　She and I live on the _____ street.　그녀와 나는 같은 거리에 산다.

03　He _____ _____ a famous movie star.
그는 유명한 영화배우처럼 보인다.

04　Monkeys are _____ _____ chimpanzees.
원숭이는 침팬지와 다르다.

05　I practiced kicking the ball _____ and _____.
나는 반복해서 공을 차는 것을 연습했다.

어휘력 UPGRADE

01 **buy**
[bai]
bought-bought

동 사다

I **bought** new shoes. 나는 새 신발을 **샀다**.

02 **sell**
[sel]
sold-sold

동 팔다

The store **sells** bags. 그 가게는 가방을 **판다**.

반의어 buy 사다

03 **mall**
[mɔːl]

명 쇼핑몰

Let's watch a movie at the **mall**. 쇼핑몰에서 영화 보자.

04 **shop**
[ʃɑːp]
shopped-shopped

명 가게, 상점 동 물건을 사다, 쇼핑하다

There is a flower **shop** in the mall.
쇼핑몰 안에 꽃 **가게**가 있다.
He usually **shops** online. 그는 보통 온라인으로 **쇼핑한다**.
➕ go **shopping** 쇼핑하러 가다

유의어 store 가게

05 **market**
[mɑ́ːrkit]

명 시장

She bought a watermelon at the **market**.
그녀는 **시장**에서 수박을 샀다.
➕ a flea **market** 벼룩시장(중고품을 팔고 사는 시장)

06 **money**
[mʌ́ni]

명 돈

I don't have much **money**. 나는 **돈**이 별로 없다.

money에는 -s를 붙이지 않아요.

07 **cheap**
[tʃiːp]

형 싼, 저렴한

This T-shirt was really **cheap**.
이 티셔츠는 정말 **저렴했다**.

08 **expensive**
[ikspénsiv]

형 비싼

Diamond rings are **expensive**.
다이아몬드 반지는 **비싸다**.

반의어 cheap
싼, 저렴한

---

09 **price**
[prais]

명 가격, 값

The **price** of the shirt is too high.
그 셔츠의 **가격**은 너무 높다.

➕ a **price** tag 가격표

---

10 **sale**
[seil]

명 1. 판매 2. 할인 판매, 세일

I'm sorry. It's not for **sale**.
죄송합니다. 그건 **판매**용이 아니에요.

The store is having a **sale**.
그 가게는 **할인 판매**를 하고 있다.

---

11 **item**
[áitəm]

명 물품, 아이템 ⌐ 물건

The **items** on the shelf are on sale.
그 선반 위의 **물품들**은 할인 중이에요.

게임 '아이템(item)'은 게임 내에서 획득하고 사용하는 '물건'이에요.

---

12 **list**
[list]

명 목록

There are five items on the **list**.
목록에 다섯 가지 물품이 있다.

➕ a shopping **list** 쇼핑 목록
 a to-do **list** 할 일을 적은 목록

〈사야 할 것〉
우유
치즈
달걀
요거트
사과

---

13 **pay**
[pei]
paid-paid

동 (돈을) 내다, 지불하다

I'll **pay** for lunch. 내가 점심값을 낼게.

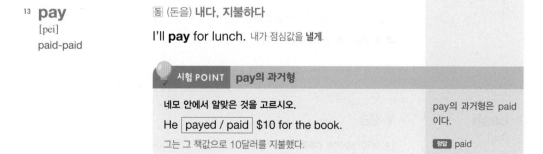

🎈 시험 POINT **pay의 과거형**

네모 안에서 알맞은 것을 고르시오.

He payed / paid $10 for the book.
그는 그 책값으로 10달러를 지불했다.

pay의 과거형은 paid
이다.

정답 paid

14 get
[get]
got-got[gotten]

통 1. 받다, 얻다   2. (어떤 장소에) 도착하다

I **got** a new computer for my birthday.
나는 생일 선물로 새 컴퓨터를 **받았다**.

How can I **get** to the museum?
그 박물관에 어떻게 **가나요**?

➕ **get** to ~에 도착하다

15 choose
[tʃuːz]
chose-chosen

통 고르다, 선택하다

She **chose** a book from the bookshelf.
그녀는 책꽂이에서 책 한 권을 **골랐다**.

choice 명 선택

유의어 pick

16 spend
[spend]
spent-spent

통 1. (돈을) 쓰다   2. (시간을) 보내다

Did you **spend** all your money? 너는 네 돈을 다 **썼니**?
We **spent** the weekend at the beach.
우리는 해변에서 주말을 **보냈다**.

17 waste
[weist]

통 낭비하다   명 1. 쓰레기   2. 낭비

Don't **waste** your money. 돈을 **낭비하지** 마라.
Please put your **waste** in the bin.
쓰레기를 쓰레기통에 넣으세요.

➕ a **waste** of time 시간 낭비

18 cart
[kɑːrt]

명 카트, 수레

He put the milk in the **cart**. 그는 우유를 **카트**에 담았다.

➕ a shopping **cart** 쇼핑 카트

19 cash
[kæʃ]

명 현금

I need some **cash** now. 나는 지금 **현금**이 조금 필요하다.

20 coin
[kɔin]

명 동전

He put the **coin** in his pocket.
그는 주머니 안에 **동전**을 넣었다.

---

21 dollar
[dá:lər]

명 (화폐 단위) 달러($)

A How much is this scarf? 이 스카프 얼마예요?
B It's twenty **dollars**. 20달러입니다.

달러 기호 $는 숫자 앞에 써요.
100 dollars = $100

dollar의 철자 o와 a의 순서를 헷갈리지 않도록 주의하세요.

---

22 bill
[bil]

명 1. 지폐 2. (식당의) 계산서, 청구서

Do you have a 10-dollar **bill**? 10달러짜리 **지폐** 있어요?
Can I have the **bill**? 계산서 좀 주실래요?

➕ a phone **bill** 전화 요금 청구서

---

23 look for

~을 찾다

A Can I help you? 도와드릴까요?
B Yes, I'm **looking for** a shirt. 네, 저는 셔츠를 찾고 있어요.

---

24 how much

(가격이) 얼마, (양이) 얼마나 많은

How much is this? 이거 얼마예요?
How much water do you need? 얼마나 많은 물이 필요하세요?

시험 POINT 양을 묻는 표현

네모 안에서 알맞은 것을 고르시오.
How many / much money do you have?
너는 돈을 얼마나 가지고 있니?

가지고 있는 돈의 양을 묻는 말이므로 much 가 알맞다.

정답 much

---

25 be sold out

매진[품절]이다, 다 팔리다

The tickets **are sold out**. 그 입장권은 매진입니다.

Daily Test

[01-25] 영어는 우리말로, 우리말은 영어로 쓰시오.

01	money		12	팔다	
02	buy		13	가격, 값	
03	item		14	비싼	
04	mall		15	가게, 상점; 쇼핑하다	
05	market		16	고르다, 선택하다	
06	spend		17	현금	
07	cheap		18	목록	
08	sale		19	받다, 얻다, 도착하다	
09	coin		20	(돈을) 내다, 지불하다	
10	cart		21	낭비하다; 쓰레기, 낭비	
11	bill		22	달러	

23	be sold out	
24	how much	
25	~을 찾다	

STEP 2 **제대로 적용하기**

A
단어

주어진 동사의 과거형을 쓰시오.

01 buy → _____   02 sell → _____

03 get → _____   04 pay → _____

05 spend → _____   06 choose → _____

B
구

우리말 의미에 맞게 빈칸에 알맞은 말을 쓰시오.

01 가격표   a _____ tag

02 쇼핑 목록   a shopping _____

03 벼룩시장   a flea _____

04 시간 낭비   a _____ of time

05 10달러짜리 지폐   a 10-dollar _____

06 판매용의, 판매 중인   for _____

C
문장

빈칸에 알맞은 말을 넣어 문장을 완성하시오.

01 He spent a lot of _____. 그는 많은 돈을 썼다.

02 _____ _____ is this umbrella? 이 우산 얼마예요?

03 She likes to _____ _____. 그녀는 쇼핑하러 가는 것을 좋아한다.

04 Sorry, the cakes are _____ _____.
죄송합니다만, 케이크는 다 팔렸습니다.

05 Excuse me. I'm _____ _____ a backpack.
실례합니다. 저는 배낭을 찾고 있어요.

장소와 위치

듣으며 외우기

어휘력 UPGRADE

---

01 town
[taun]

명 마을, 소도시

I grew up in a small **town**. 나는 작은 **마을**에서 자랐다.

유의어 village

town은 village(마을)보다 크고 city(도시)보다는 작은 지역이에요.

---

02 city
[síti]

명 도시

She moved to a big **city**. 그녀는 **대도시**로 이사 갔다.

---

03 hometown
[hóumtaun]

명 고향

He returned to his **hometown**. 그는 **고향**으로 돌아왔다.

---

04 place
[pleis]

명 장소 동 놓다

Did you find a good **place** for the party?
너는 파티를 할 좋은 **장소**를 찾았니?

She **placed** the plant by the window.
그녀는 그 식물을 창가에 **놓았다**.

유의어 put 놓다

'물건을 놓는(place) 장소(place)'로 외워 보세요.

---

05 park
[pɑ:rk]

명 공원 동 주차하다

Let's go for a walk in the **park**. 공원에 산책하러 가자.
You can't **park** here. 여기에 **주차하면** 안 됩니다.

표지판의 P는 parking (주차)을 뜻해요.

💡 시험 POINT **park의 의미**

밑줄 친 단어의 의미를 골라 기호를 쓰시오.

보기 ⓐ 공원   ⓑ 주차하다

1. Where did you park? _____
2. I met him in the park. _____

1. 어디에 **주차했어요**?
2. 나는 **공원**에서 그를 만났다.

정답 1. ⓑ 2. ⓐ

06 **bank**
[bæŋk]

명 은행

My father works at a **bank**.
우리 아버지는 **은행**에서 일하신다.

➊ a piggy **bank** 돼지 저금통

---

07 **hospital**
[hάːspitl]

명 병원

You should go to the **hospital** right away.
너는 즉시 **병원**에 가야 한다.

---

08 **tower**
[táuər]

명 탑, 타워

The Eiffel **Tower** is in Paris. 에펠**탑**은 파리에 있다.

---

09 **restaurant**
[réstərənt]

명 식당

He booked a table at an Italian **restaurant**.
그는 이탈리안 **식당**에 자리를 예약했다.

---

10 **bakery**
[béikəri]

명 빵집, 제과점

A new **bakery** opened across the street.
새로운 **빵집**이 길 건너편에 문을 열었다.

bake 동 (빵을) 굽다
baker 명 제빵사

---

11 **bookstore**
[búkstɔ̀ːr]

명 서점

I bought some books at the **bookstore**.
나는 그 **서점**에서 책을 몇 권 샀다.

book(책)+store(가게)

---

12 **supermarket**
[súːpərmɑ̀ːrkit]

명 슈퍼마켓

It's the only **supermarket** in town.
그것은 마을에서 유일한 **슈퍼마켓**이다.

supermarket은 우리가 흔히 '슈퍼'라고 부르는 작은 가게가 아니라 '대형 마트'를 가리켜요.

13 police station 명 경찰서
[pəlíːs steiʃən]

I took the boy to the **police station**.
나는 그 남자아이를 **경찰서**로 데려갔다.

---

14 building 명 건물, 빌딩
[bíldiŋ]

There are many tall **buildings** in the city.
그 도시에는 높은 **건물들**이 많다.

build
통 짓다, 건설하다

---

15 service 명 서비스, 봉사
[sə́ːrvis]

The **service** at the restaurant was terrible.
그 식당의 **서비스**는 형편없었다.

상품 구매 후에 받는 '애 프터서비스' 또는 'A/S'의 올바른 영어 표현은 customer service예요.

---

16 above 전 ~의 위에[위로]
[əbʌ́v]

Our plane is flying **above** the clouds.
우리 비행기는 구름 **위로** 날고 있다.

above는 사물이 어떤 기 준보다 높은 곳에 있을 때 쓰고, on은 사물이 표 면 위에 맞닿아 있을 때 써요.

---

17 middle 명 한가운데, 중앙 형 한가운데의, 중앙의
[mídl]

There is a table in the **middle** of the room.
방 **한가운데**에 탁자가 있다.

➕ **middle** school 중학교

---

18 behind 전 ~의 뒤에
[biháind]

Look at the panda. It's **behind** the tree.
판다를 봐. 나무 **뒤에** 있어.

---

19 under 전 ~의 아래에, ~의 밑에
[ʌ́ndər]

She found a box **under** the bed.
그녀는 침대 **밑에서** 상자를 하나 발견했다.

20 here
[hiər]

🔢 여기에(서), 여기로

Come **here**. 여기로 와.

어휘력 UPGRADE

Here you are.는 '여기 있어요.'라는 뜻으로 상대방에게 물건을 건네주며 하는 말이에요.

21 there
[ðɛər]

🔢 거기에(서), 그곳에

How can I get **there**? 거기에 어떻게 갈 수 있나요?

22 back
[bæk]

🔢 뒤로 🔲 뒤쪽의 🔲 뒤, 뒷면

Step **back** from the yellow line.
노란 선 **뒤로** 물러나시오.

➕ a **back** door[seat] 뒷문[뒷좌석]

교과서 필수 암기 숙어

23 between A and B

A와 B 사이에

The museum is **between** the bank **and** the library.
그 박물관은 은행**과** 도서관 **사이에** 있다.

24 next to

~의 옆에

The bookstore is **next to** the bakery. 서점은 빵집 **옆에** 있다.

25 in front of

~의 앞에

Jenny sits **in front of** me in class.
Jenny는 수업 시간에 내 **앞에** 앉는다.

반의어 behind ~의 뒤에

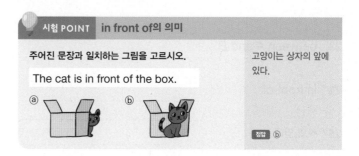

시험 POINT   in front of의 의미

주어진 문장과 일치하는 그림을 고르시오.

The cat is in front of the box.

고양이는 상자의 앞에 있다.

ⓐ   ⓑ

정답 ⓑ

Daily Test

[01-25] 영어는 우리말로, 우리말은 영어로 쓰시오.

01	place		12	도시
02	town		13	은행
03	tower		14	공원; 주차하다
04	bakery		15	~의 아래에, ~의 밑에
05	service		16	여기에(서), 여기로
06	there		17	식당
07	hospital		18	서점
08	hometown		19	뒤로; 뒤쪽의; 뒤
09	middle		20	슈퍼마켓
10	above		21	건물, 빌딩
11	behind		22	경찰서

23 between A and B

24 in front of

25 ~의 옆에

정답 p. 295

STEP 2   제대로 적용하기

A
단어

주어진 말을 지시대로 바꿔 쓰시오.

01   put   →   유의어   _____

02   town   →   유의어   _____

03   in front of →   반의어   _____

B
구

우리말 의미에 맞게 빈칸에 알맞은 말을 쓰시오.

01   대도시   a big _____

02   돼지 저금통   a piggy _____

03   에펠탑   the Eiffel _____

04   이탈리안 식당   an Italian _____

05   뒷문   a _____ door

C
문장

빈칸에 알맞은 말을 넣어 문장을 완성하시오.

01   I sat _____ _____ her.   나는 그녀의 옆에 앉았다.

02   He was standing in the _____ of the room.
     그는 방 한가운데에 서 있었다.

03   Look at the sign. We can't _____ here.
     표지판을 봐. 우리는 여기에 주차하면 안 돼.

04   We met _____ _____ _____ the museum.
     우리는 박물관 앞에서 만났다.

05   The hotel is _____ the theater _____ the mall.
     그 호텔은 영화관과 쇼핑몰 사이에 있다.

01 〈보기〉에 주어진 말과 모두 관련 있는 단어는?

> 보기   market   sale   bill   price tag

① house   ② building   ③ place
④ town   ⑤ shopping

02 짝지어진 단어의 관계가 나머지 넷과 <u>다른</u> 것은?

① clean – dirty   ② loud – quiet
③ fast – quick   ④ safe – dangerous
⑤ cheap – expensive

03 빈칸에 들어갈 말이 순서대로 짝지어진 것은? ⊂⊃ DAY 21 시험 POINT

> • The children are drawing _____ the wall.
> • I'm different _____ my sister.
> • I sat between Tom _____ Mary.

① in – with – and   ② in – from – with
③ on – with – and   ④ on – from – and
⑤ on – from – with

[04-05] 문맥상 빈칸에 들어갈 말로 알맞은 것을 고르시오.

04

> It's so dark. Please _____ the light.

① use up   ② go down   ③ turn on
④ next to   ⑤ look like

05

The boy band is very popular. Their new albums were _____.

① right away   ② pay for   ③ in front of

④ sold out   ⑤ over and over

06 〈보기〉의 밑줄 친 hard와 의미가 같은 것은?   🔗 DAY 23 시험 POINT

보기   He worked very hard.

① The chair feels hard.

② This problem is too hard for me.

③ I will try hard next time.

④ She had a hard day.

⑤ The test was really hard.

07 각 네모 (A)와 (B)에서 알맞은 단어를 골라 쓰시오.   🔗 DAY 23, 24 시험 POINT

서술형

• You're walking too (A) | fast / fastly |.

• How (B) | many / much | money do you spend a day?

(A) _____   (B) _____

08 주어진 단어를 사용하여 두 문장을 한 문장으로 바꿔 쓰시오.   🔗 DAY 22 시험 POINT

서술형

Julie likes to play tennis. Tony likes to play tennis, too. (both)

→ _____ like to play tennis.

PART 6

직업 들으며 외우기

어휘력 UPGRADE

01 job
[dʒɑːb]

명 일, 일자리, 직업

He is looking for a new **job**.
그는 새로운 **일자리**를 찾고 있다.

⊕ get a **job** 일자리를 구하다, 취직하다

---

02 work
[wəːrk]

동 일하다 명 일, 직장

My dad **works** at a bank. 우리 아빠는 은행에서 **일하신다**.
She came home late from **work**.
그녀는 **직장**에서 늦게 집에 왔다.

⊕ go to **work** 출근하다

worker
명 근로자, 노동자

work(일하다)+-er
(사람)

---

03 company
[kʌ́mpəni]

명 회사

John works for a computer **company**.
John은 컴퓨터 **회사**에서 일한다.

---

04 office
[ɔ́ːfis]

명 사무실

He is not in the **office** at the moment.
그는 지금 **사무실**에 안 계십니다.

⊕ an **office** worker 회사원, 사무 직원

---

05 designer
[dizáinər]

명 디자이너, 설계자

I want to be a **designer**. 나는 **디자이너**가 되고 싶다.

⊕ a fashion **designer** 패션 디자이너

design
동 디자인하다

design(디자인하다)+
-er(사람)

---

06 engineer
[èndʒiníər]

명 엔지니어, 기술자

My father is a computer **engineer**.
우리 아버지는 컴퓨터 **엔지니어**이다.

07 farmer
[fáːrmər]

명 농부

The **farmers** are working in the fields.
그 **농부**들은 밭에서 일하고 있다.

farm 명 농장

farm(농장)+-er(사람)

---

08 actor
[ǽktər]

명 (남자) 배우

He is my favorite **actor**. 그는 내가 가장 좋아하는 **배우**이다.

act 통 연기하다
actress 명 여자 배우

---

09 doctor
[dáːktər]

명 의사

My brother became a **doctor**. 우리 형은 **의사**가 되었다.

➕ see a **doctor** 병원에 가다, 의사의 진찰을 받다

---

10 nurse
[nəːrs]

명 간호사

The **nurse** was very kind. 그 **간호사**는 매우 친절했다.

➕ a school **nurse** 보건 선생님

---

11 dentist
[déntist]

명 치과 의사

The **dentist** checked my teeth.
그 **치과 의사**가 내 치아를 검진했다.

➕ go to the **dentist** 치과에 가다

---

12 director
[diréktər]

명 감독, 연출가

Bong Joonho is a Korean movie **director**.
봉준호는 한국의 영화 **감독**이다.

direct
통 지시하다, 감독하다

direct(감독하다)+-or
(사람)

> 🎯 시험 POINT **-er vs. -or**
>
> 빈칸에 들어갈 철자가 **다른** 것을 고르시오.
>
> ⓐ teach____ (교사)
> ⓑ design____ (디자이너)
> ⓒ direct____ (감독)

'감독'은 director이다.
-er로 끝나지 않는 것
에 주의한다.

정답 ⓒ

13 scientist
[sáiəntist]

명 과학자

Einstein was a great **scientist**.
아인슈타인은 위대한 **과학자**였다.

science 명 과학

science(과학)+-ist
(사람)

---

14 chef
[ʃef]

명 요리사, 주방장

He is a **chef** in a French restaurant.
그는 프랑스 식당의 **주방장**이다.

chef는 주로 호텔이나
식당에서 일하는 전문 요
리사나 주방장을 가리켜
요.

---

15 pilot
[páilət]

명 조종사, 파일럿

My dream is to become a **pilot**.
내 꿈은 **조종사**가 되는 것이다.

---

16 police
[pəlíːs]

명 경찰

The **police** are looking for a boy.
경찰이 한 남자아이를 찾고 있다.

➕ a **police** officer 경찰관

police는 경찰 집단 전
체를 가리켜요. 경찰관
한 명을 가리킬 때는 a
police officer라고 해
요.

---

17 firefighter
[fáiərfaitər]

명 소방관

The **firefighters** ran into the house.
그 **소방관**들은 그 집으로 뛰어 들어갔다.

fire(불)+fighter(싸우
는 사람)

---

18 manager
[mǽnidʒər]

명 관리자, 경영자

He is the **manager** of the hotel.
그는 그 호텔의 **관리자**이다.

스포츠팀이나 연예인을
관리해 주는 사람도 '매
니저(manager)'라고 해
요.

---

19 model
[máːdl]

명 1. 모델 2. 모형

She is a famous fashion **model**.
그녀는 유명한 패션**모델**이다.

He is making a **model** of the building.
그는 그 건물의 **모형**을 만들고 있다.

➕ a role **model** 롤 모델(존경하며 본받고 싶은 사람)

model을 발음할 때 '모
델'로 발음하지 않도록
주의하세요.

---

20 vet
[vet]

명 수의사

We took our dog to the **vet**.
우리는 우리 개를 **수의사**에게 데려갔다.

21 musician
[mju:zíʃən]

명 음악가

She is a very creative **musician**.
그녀는 매우 창의적인 **음악가**이다.

22 want
[wɑ:nt]

동 원하다, ~하고 싶다

I **want** some chocolate. 나는 초콜릿을 조금 **원한다**.
I **want** to go home early. 나는 집에 일찍 **가고 싶다**.
➕ **want** to ~하고 싶다

> 시험 POINT '~하고 싶다'의 영어 표현
>
> 네모 안에서 알맞은 것을 고르시오.
>
> I | want / want to | be a writer.
> 나는 작가가 되고 싶다.

'~하고 싶다'는 「want to+동사원형」으로 쓴다.

정답 want to

23 future
[fjú:tʃər]

명 미래, 장래

What do you want to be in the **future**?
너는 **미래**에 뭐가 되고 싶니?

24 do a good job

잘 해내다

Nice work, Mike! You **did a good job**!
수고했어, Mike! **잘했어**!

25 be proud of

~을 자랑스러워하다

I **am proud of** you. 나는 네가 **자랑스러워**.

Daily Test

[01-25] 영어는 우리말로, 우리말은 영어로 쓰시오.

01	want		13	일하다; 일, 직장
02	chef		14	회사
03	pilot		15	엔지니어, 기술자
04	job		16	소방관
05	vet		17	과학자
06	dentist		18	미래, 장래
07	office		19	음악가
08	manager		20	감독, 연출가
09	actor		21	경찰
10	model		22	의사
11	farmer		23	디자이너, 설계자
12	nurse			

24 do a good job

25 ~을 자랑스러워하다

정답 p.296

STEP 2   제대로 적용하기

A
단어

주어진 단어를 의미에 맞게 바꿔 쓰시오.

01   act   → (남자) 배우   _____

02   science   → 과학자   _____

03   farm   → 농부   _____

04   work   → 근로자, 노동자   _____

05   direct   → 감독, 연출가   _____

B
구

우리말 의미에 맞게 빈칸에 알맞은 말을 쓰시오.

01   보건 선생님   a school _____

02   경찰관   a _____ officer

03   롤 모델   a role _____

04   회사원, 사무 직원   an _____ worker

05   병원에 가다   see a _____

C
문장

빈칸에 알맞은 말을 넣어 문장을 완성하시오.

01   My mom goes to _____ by bus. 우리 엄마는 버스를 타고 출근하신다.

02   I _____ _____ be a musician. 나는 음악가가 되고 싶다.

03   You should go to the _____ right away. 너는 즉시 치과에 가야한다.

04   His parents are _____ _____ him.
     그의 부모님은 그를 자랑스러워한다.

05   Don't worry. You're doing a _____ _____.
     걱정하지 마. 너는 잘하고 있어.

DAY
27

인생

들으며 외우기

어휘력 UPGRADE

01 child
[tʃaild]
복수형 children

몡 1. 아이, 어린이 2. 자녀
The **child** was playing with a doll.
그 **아이**는 인형을 가지고 놀고 있었다.
They have two **children**. 그들은 **자녀**가 두 명 있다.
➊ an only **child** 외동

유의어 kid
'어린이날'은 Children's Day라고 해요.

02 teenager
[tíːnèidʒər]

만 13세~19세 사이의 청소년
몡 십 대
Many **teenagers** like watching videos online.
많은 **십 대**들은 온라인으로 영상을 보는 것을 좋아한다.

teenager의 teen은 thirteen(13세)부터 nineteen(19세)을 의미해요.

03 young
[jʌŋ]

몡 어린, 젊은
My teacher looks very **young**.
우리 선생님은 매우 **젊어** 보이신다.

04 old
[ould]

몡 1. 늙은 2. 낡은, 오래된 3. 나이가 ~인
An **old** man is sitting on the bench.
한 **노인**이 벤치에 앉아 있다.
He has an **old** bike. 그는 **낡은** 자전거를 가지고 있다.
I'm fourteen years **old**. 나는 열네 **살이다**.

반의어 young
어린, 젊은

05 adult
[ədʌ́lt]

몡 어른, 성인
Tickets are $8 for **adults**. 표는 **어른** 8달러입니다.

유의어 grown-up

06 ready
[rédi]

몡 준비가 된
Are you **ready** for school? 학교 갈 **준비** 됐니?
➊ be **ready** for ~할 준비가 되다

186 PART 6

07 become
[bikʌ́m]
became-become

동 ~이 되다

He **became** a movie director. 그는 영화감독이 되었다.

08 live
[liv]

동 살다

I **live** in Seoul. 나는 서울에 산다.

09 life
[laif]
복수형 lives

명 1. 인생, 삶 2. 생명, 목숨

Life is short. 인생은 짧다.
You saved my **life**! 당신이 제 목숨을 구하셨어요!

live(살다)의 3인칭 단수형 lives[리브스]와 life (인생)의 복수형 lives [라이브즈]의 발음과 의미를 혼동하지 않도록 주의하세요.

시험 POINT live vs. life

밑줄 친 단어의 의미를 골라 기호를 쓰시오.

보기 ⓐ 인생, 삶   ⓑ 살다

1. She <u>lives</u> in Germany. _____
2. Music is important in our <u>lives</u>. _____

1. 그녀는 독일에 산다.
2. 음악은 우리 삶에서 중요하다.

정답 1. ⓑ 2. ⓐ

10 lucky
[lʌ́ki]

형 운이 좋은, 행운의

I'm so **lucky**. 나는 아주 운이 좋다.

반의어 unlucky
운이 없는, 불운한

11 chance
[tʃæns]

명 1. 기회 2. 가능성

I don't want to miss this **chance**.
나는 이 기회를 놓치고 싶지 않다.
We have no **chance** of winning the game.
우리는 그 경기를 이길 가능성이 없다.

12 lesson
[lésn]

명 1. 수업, 강습 2. 교훈

I have a piano **lesson** today.
나는 오늘 피아노 수업이 있다.
He learned a **lesson** from the mistake.
그는 그 실수로부터 교훈을 얻었다.

13 trouble
[trʌ́bl]

명 어려움, 문제

We are in **trouble**. 우리는 **어려움**에 처해 있다.

14 mistake
[mistéik]

명 실수, 잘못

He made a big **mistake**. 그는 큰 **실수**를 했다.

⊕ make a **mistake** 실수하다

15 poor
[puər]

형 1. 가난한 2. 불쌍한

His family was very **poor**. 그의 가족은 매우 **가난했다**.

The **poor** kitten hurt its leg.
그 **불쌍한** 새끼 고양이는 다리를 다쳤다.

16 rich
[ritʃ]

형 1. 부유한 2. 풍부한

반의어 poor 가난한

Are **rich** people always happy?
부유한 사람들은 늘 행복한가?

Oranges are **rich** in vitamin C.
오렌지는 비타민 C가 **풍부하다**.

17 wish
[wiʃ]

동 바라다, 희망하다   명 소원, 희망

We **wish** you a Merry Christmas.
즐거운 성탄절이 되길 **바라요**.

⊕ make a **wish** 소원을 빌다

18 peace
[piːs]

명 평화

peaceful
형 평화로운

They lived together in **peace**.
그들은 **평화**롭게 함께 살았다.

👆 시험 POINT   **peace vs. piece**

각 네모 안에서 알맞은 것을 고르시오.

1. world | peace / piece | 세계 평화

2. a | peace / piece | of paper 종이 한 장

peace와 piece는 발음이 같아 혼동하기 쉬우므로 주의한다.

정답 1. peace
2. piece

19 die
[dai]

동 죽다

His grandmother **died** last year.
그의 할머니는 작년에 **돌아가셨다**.

20 age
[eidʒ]

명 나이

Mozart died at the **age** of 35.
모차르트는 35세의 **나이**에 죽었다.

21 alone
[əlóun]

형 부 혼자

John was **alone** in the classroom.
John은 교실에 **혼자** 있었다.

➕ live **alone** 혼자 살다

22 almost
[ɔ́ːlmoust]

부 거의

I'm **almost** ready. 나는 **거의** 준비됐어.

교과서 필수 암기 숙어 ....

23 be born

태어나다

I **was born** in 2009. 나는 2009년에 **태어났다**.

---

24 grow up

자라다, 성장하다

He **grew up** in Busan. 그는 부산에서 **자랐다**.

---

25 from now on

이제부터

From now on, I will study hard. **이제부터** 나는 열심히 공부할 것이다.

Daily Test

[01-25] 영어는 우리말로, 우리말은 영어로 쓰시오.

01	young		12	준비가 된	
02	live		13	십 대	
03	alone		14	실수, 잘못	
04	old		15	수업, 강습, 교훈	
05	trouble		16	아이, 어린이, 자녀	
06	rich		17	어른, 성인	
07	lucky		18	인생, 삶, 생명	
08	wish		19	가난한, 불쌍한	
09	die		20	평화	
10	age		21	기회, 가능성	
11	become		22	거의	

23 be born

24 이제부터

25 자라다, 성장하다

정답 p.296

STEP 2 제대로 적용하기

A
단어

주어진 단어를 지시대로 바꿔 쓰시오.

01 old → **반의어** _____

02 kid → **유의어** _____

03 lucky → **반의어** _____

04 rich → **반의어** _____

05 grown-up → **유의어** _____

B
구

우리말 의미에 맞게 빈칸에 알맞은 말을 쓰시오.

01 세계 평화 world _____

02 외동 an only _____

03 실수하다 make a _____

04 혼자 살다 live _____

05 어려움에 처한 in _____

C
문장

빈칸에 알맞은 말을 넣어 문장을 완성하시오.

01 I _____ _____ in a small town. 나는 작은 마을에서 자랐다.

02 They _____ _____ on the same day. 그들은 같은 날에 태어났다.

03 Make a _____ and blow out the candles. 소원을 빌고 촛불을 끄세요.

04 Everything is _____ _____ the trip.
그 여행을 위한 모든 것이 준비되어 있다.

05 _____ _____ _____, I'll be more careful.
이제부터는 더 조심할게요.

시간과 순서

들으며 외우기

어휘력 UPGRADE

01 time
[taim]

명 1. 시각 2. 시간, 때

What **time** is it? 몇 시예요?
It's **time** for lunch. 점심 먹을 **시간**이다.

---

02 hour
[áuər]

명 한 시간

He studied for two **hours**. 그는 두 **시간** 동안 공부했다.

hour의 h는 묵음이므로 '한 시간'은 a hour가 아니라 an hour로 써요.

---

03 minute
[mínit]

명 (시간 단위) 분

It takes five **minutes** to get there.
그곳에 도착하는 데 5분 걸린다.

Wait a minute.은 '잠깐 기다려.'라는 뜻이에요.

---

04 early
[ə́ːrli]

형 이른 부 일찍

We had an **early** dinner. 우리는 **이른** 저녁을 먹었다.
He usually gets up **early**. 그는 보통 **일찍** 일어난다.

아침에 일찍 일어나는 사람을 an early bird라고 해요.

---

05 late
[leit]

형 늦은 부 늦게

Peter was **late** for school. Peter는 학교에 **지각했다**.
The train arrived **late**. 기차가 **늦게** 도착했다.

➊ be **late** for ~에 늦다[지각하다]

반의어 early
이른; 일찍

late는 형용사와 부사의 형태가 같아요.

시험 POINT 부사 late

네모 안에서 알맞은 것을 고르시오.

I got up | late / lately |.

나는 늦게 일어났다.

'늦게'라는 말은 late로 쓴다. lately는 '최근에'라는 뜻이다.

정답 late

---

06 now
[nau]

부 지금, 이제

I have to go **now**. 난 **지금** 가야 해.

➊ right **now** 지금 당장

07 date
[deit]

명 날짜

A What's the **date** today? 오늘이 **며칠**이에요?
B It's April 10. 4월 10일이에요.

---

08 week
[wi:k]

명 (월요일부터 일요일까지의) 주

I can't see you this **week**. 나는 이번 **주**에 너를 볼 수 없어.

⊕ this **week** 이번 주   next **week** 다음 주

weekly 형 매주의

---

09 weekend
[wí:kènd]

명 주말 ← 토요일과 일요일

What are you going to do this **weekend**?
너는 이번 **주말**에 뭐 할 거야?

⊕ on **weekends** 주말에, 주말마다

week(주) + end(끝)

---

10 month
[mʌnθ]

명 달, 월

We will go to Disneyland next **month**.
우리는 다음 **달**에 디즈니랜드에 갈 것이다.

⊕ every **month** 매달

monthly 형 매달의

---

11 year
[jiər]

명 해, 년

They moved to Seoul two **years** ago.
그들은 2**년** 전에 서울로 이사했다.

⊕ every **year** 매년

---

12 soon
[su:n]

부 곧, 금방

See you **soon**. 곧 만나자.

---

13 later
[léitər]

부 나중에, 후에

I'll call you **later**. 내가 나중에 전화할게.

⊕ two years **later** 2년 후

14 **today**
[tədéi]

부 명 오늘

What did you do **today**? 너는 **오늘** 뭐 했니?

---

15 **yesterday**
[jéstərdèi]

부 명 어제

We went to the movies **yesterday**.
우리는 **어제** 영화를 보러 갔다.

---

16 **tomorrow**
[təmɔ́:rou]

부 명 내일

I have a test **tomorrow**. 나는 **내일** 시험이 있다.

➕ the day after **tomorrow** 내일모레

아.. 내일 시험인데...

---

17 **tonight**
[tənáit]

부 오늘 밤에 명 오늘 밤

I'll go to bed early **tonight**. 나는 **오늘 밤에** 일찍 잘 거야.

---

18 **before**
[bifɔ́:r]

전 ~ 전에 접 ~하기 전에

I got home **before** six. 나는 6시 **전에** 집에 왔다.

Call me **before** you leave. 출발**하기 전에** 나에게 전화해.

---

19 **after**
[ǽftər]

전 ~ 후에 접 ~한 후에

Let's go shopping **after** lunch.
점심 식사 **후에** 쇼핑하러 가자.

He came **after** you left. 네가 떠난 **후에** 그가 왔다.

반의어 before
~ 전에; ~하기 전에

> 시험 POINT **after가 들어간 문장 해석하기**
>
> 주어진 문장의 의미로 알맞은 것을 고르시오.
>
> We had dinner after she arrived.
>
> ⓐ 우리가 저녁을 먹은 후에 그녀가 도착했다.
> ⓑ 그녀가 도착한 후에 우리는 저녁을 먹었다.

after/before는 바로 뒤에 오는 내용에 붙여서 해석해야 한다. 즉, "A after B"는 'B한 후에 A'로 해석한다.

정답 ⓑ

---

20 moment
[móumənt]

명 1. 잠깐, 잠시   2. (특정한) 순간, 시점

Wait a **moment**, please. 잠깐 기다려 주세요.

➕ at that **moment** 그 순간에

---

21 last
[læst]

형 1. 지난, 이전의   2. 마지막의, 끝의

I met Jane **last** week. 나는 **지난**주에 Jane을 만났다.

This is your **last** chance. 이게 네 **마지막** 기회.

➕ **last** night 어젯밤   **last** year 지난해, 작년

---

22 final
[fáinl]

형 마지막의, 최후의 명 결승, 결승전

Did you see the **final** episode last night?
너는 어젯밤에 **마지막** 회를 봤니?

➕ the World Cup **Final** 월드컵 결승전

유의어 last 마지막의

학기 말에 보는 '기말고사'는 final exams라고 해요.

교과서 필수 암기 숙어

23 on time

계획된 시간에 딱 맞게

제시간에

I arrived at the theater **on time**.
나는 **제시간에** 영화관에 도착했다.

---

24 make it

1. 시간 맞춰 가다   2. 해내다

A The train will arrive soon. 기차가 곧 도착할 거야.
B If we run, we can **make it**. 우리가 뛰어가면, **시간에 맞출** 수 있어.

We finally **made it**! 우리가 드디어 **해냈어**!

---

25 one day

언젠가, 어느 날

One day, I'll be rich and famous!
언젠가 나는 돈 많고 유명해질 거야!

Daily Test

[01-25] 영어는 우리말로, 우리말은 영어로 쓰시오.

01 now

02 hour

03 date

04 today

05 month

06 late

07 year

08 soon

09 last

10 tomorrow

11 weekend

12 시각, 시간, 때

13 (월요일 ~ 일요일) 주

14 이른; 일찍

15 (시간 단위) 분

16 나중에, 후에

17 오늘 밤에; 오늘 밤

18 마지막의; 결승

19 어제

20 잠깐, 순간

21 ~ 전에; ~하기 전에

22 ~ 후에; ~한 후에

23 one day

24 make it

25 제시간에

STEP 2 제대로 적용하기

A 단어

주어진 단어를 지시대로 바꿔 쓰시오.

01 late → 반의어 _____ .

02 before → 반의어 _____

03 last → 유의어 _____

B 구

우리말 의미에 맞게 빈칸에 알맞은 말을 쓰시오.

01 어젯밤 _____ night

02 다음 주 next _____

03 주말에, 주말마다 on _____

04 지금 당장 right _____

05 그 순간에 at that _____

06 내일모레 the day after _____

C 문장

빈칸에 알맞은 말을 넣어 문장을 완성하시오.

01 The bus came _____ _____. 그 버스는 제시간에 왔다.

02 He was _____ _____ the meeting. 그는 회의에 늦었다.

03 I took a shower _____ dinner. 나는 저녁 식사 전에 샤워를 했다.

04 She visits her grandparents _____ _____.
그녀는 매달 조부모님을 찾아뵙는다.

05 The movie starts in ten minutes. We'll never _____ _____.
영화가 10분 후에 시작해. 우리는 절대 시간 맞춰 못 갈 거야.

생각과 마음

들으며 외우기

어휘력 UPGRADE

---

01 think
[θiŋk]
thought-thought

동 생각하다

A Will she come tomorrow? 그녀가 내일 올까?
B I don't **think** so. 나는 그렇게 **생각하지** 않아.

➕ **think** about ~에 대해 생각하다

---

02 mind
[maind]

명 마음, 정신

I changed my **mind**. 나는 **마음**을 바꿨다.

Out of sight, out of mind.는 '눈에서 멀어지면, 마음에서도 멀어진다.'는 뜻의 속담이에요.

---

03 idea
[aidíːə]

명 생각, 아이디어

That's a good **idea**. 그거 좋은 **생각**이다.

I have no idea.는 '모르겠어.'라는 뜻이에요.

---

04 opinion
[əpínjən]

명 의견

In my **opinion**, it's the best choice.
내 **의견**으로는, 그게 최선의 선택이야.

➕ in my **opinion** 내 의견으로는, 내 생각에는

---

05 know
[nou]
knew-known

동 알다

I **know** him well. 나는 그를 잘 **안다**.

know의 k는 소리가 나지 않는 묵음이므로 발음과 철자에 주의하세요.

---

06 understand
[ʌndərstǽnd]
understood-understood

동 이해하다

He doesn't **understand** me.
그는 나를 **이해하지** 못한다.

---

07 forget
[fərgét]
forgot-forgotten

동 잊다, 잊어버리다

I **forgot** my password. 나는 내 비밀번호를 **잊어버렸다**.

---

08 remember
[rimémbər]

동 기억하다

I don't **remember** his name.
나는 그의 이름이 **기억나지** 않는다.

반의어 forget 잊다

---

09 memory
[méməri]

명 1. 기억력 2. 기억, 추억

My grandmother has a good **memory**.
우리 할머니는 **기억력**이 좋으시다.

➕ a happy **memory** 행복한 추억

---

10 secret
[síːkrit]

명 비밀 형 비밀의

Don't tell anyone. This is a **secret**.
아무에게도 말하지 마. 이건 **비밀**이야.

This is my **secret** place. 이곳은 나의 **비밀** 장소이다.

➕ keep a **secret** 비밀을 지키다

---

11 decide
[disáid]

동 결정하다, 결심하다

He **decided** to try again.
그는 다시 시도해 보기로 **결심했다**.

➕ **decide** to ~하기로 결정[결심]하다

시험 POINT '~하기로 결심하다'의 영어 표현

네모 안에서 알맞은 것을 고르시오.

She decided │ to leave / leaving │ alone.
그녀는 혼자 떠나기로 결심했다.

decision
명 결정, 결심

'~하기로 결심하다'는
「decide to+동사원
형」으로 쓴다.
정답 to leave

---

12 sure
[ʃuər]

형 확신하는, 확실한

A I can do it on my own. 나는 그것을 혼자 할 수 있어.
B Are you **sure**? 너 확실해?

상대방의 말에 긍정적으
로 답할 때 Sure.(물론이
지.)라고 할 수 있어요.

¹³ guess
[ges]

동 추측하다, 알아맞히다　명 추측

Can you **guess** the answer?
당신은 답을 **알아맞힐** 수 있나요?

---

¹⁴ imagine
[imǽdʒin]

동 상상하다

Imagine a house with a big garden.
큰 정원이 있는 집을 **상상해** 보세요.

imagination
명 상상, 상상력

---

¹⁵ dream
[dri:m]

명 꿈　동 꿈을 꾸다

I had a bad **dream** last night.
나는 어젯밤에 나쁜 **꿈**을 꿨다.

I **dreamed** about you last night.
나는 어젯밤에 너에 관한 **꿈을 꾸었다**.

dream은 잠잘 때 꾸는 꿈뿐만 아니라 '이루고 싶은 꿈', '소망을 꿈꾸다'의 의미로도 쓸 수 있어요.
Dreams come true.
(꿈은 이루어진다.)

---

¹⁶ hope
[houp]

동 희망하다, 바라다　명 희망

I **hope** to see you soon. 당신을 곧 만나기를 **바라요**.
They had no **hope** for the future.
그들은 미래에 대한 **희망**이 없었다.

---

¹⁷ like
[laik]

동 좋아하다　전 ~처럼, ~와 같이

I **like** swimming. 나는 수영하는 것을 **좋아한다**.
He looks **like** a nice person. 그는 좋은 사람**처럼** 보인다.

반의어 dislike
싫어하다

> **시험 POINT　like의 의미**
>
> 밑줄 친 단어의 의미를 골라 기호를 쓰시오.
>
> 보기　ⓐ 좋아하다　ⓑ ~처럼
>
> 1. I like taking pictures. _____
> 2. She looks like a doll. _____

1. 나는 사진 찍는 것을 좋아한다.
2. 그녀는 인형처럼 보인다.

정답 1. ⓐ 2. ⓑ

---

¹⁸ expect
[ikspékt]

동 예상하다, 기대하다

I didn't **expect** to see you here.
나는 여기에서 너를 만날 거라고 **예상하지** 못했다.

¹⁹ **believe** [bilíːv]	통 믿다 Do you **believe** his story? 너는 그의 이야기를 믿니?	belief 명 믿음, 신념
²⁰ **express** [iksprés]	통 표현하다, 나타내다 She doesn't **express** her feelings. 그녀는 그녀의 감정을 **표현하지** 않는다.	expression 명 표현, 표정
²¹ **wonder** [wʌ́ndər]	통 궁금하다 I was **wondering** about your opinion. 나는 네 의견이 **궁금했다**.	
²² **reason** [ríːzn]	명 이유 What is your **reason** for the decision? 그 결정을 한 **이유**가 무엇인가요?	
²³ **finally** [fáinəli]	분 1. 마침내, 결국 2. 마지막으로 We **finally** decided to leave. 우리는 **마침내** 떠나기로 결정했다. **Finally**, I'd like to thank everyone. **마지막으로**, 모든 분께 감사드립니다.	final 형 마지막의, 최후의

교과서 필수 암기 숙어

²⁴ **give up**	포기하다 Don't **give up** so easily. 그렇게 쉽게 **포기하지** 마.
²⁵ **at first**	처음에는 **At first**, I liked your idea. **처음에는** 네 아이디어가 마음에 들었어.

Daily Test

[01-25] 영어는 우리말로, 우리말은 영어로 쓰시오.

01	opinion		13	상상하다	
02	sure		14	이해하다	
03	mind		15	잊다, 잊어버리다	
04	idea		16	꿈; 꿈을 꾸다	
05	hope		17	믿다	
06	think		18	좋아하다; ~처럼	
07	memory		19	비밀; 비밀의	
08	know		20	이유	
09	express		21	기억하다	
10	expect		22	마침내, 마지막으로	
11	guess		23	결정하다, 결심하다	
12	wonder				

24	at first	
25	포기하다	

STEP 2 **제대로 적용하기**

A
단어

주어진 단어를 의미에 맞게 바꿔 쓰시오.

01 decide   → 결정, 결심   _____

02 imagine   → 상상, 상상력   _____

03 believe   → 믿음, 신념   _____

04 express   → 표현, 표정   _____

05 final   → 마침내, 마지막으로 _____

B
구

우리말 의미에 맞게 빈칸에 알맞은 말을 쓰시오.

01 나쁜 꿈   a bad _____

02 좋은 생각   a good _____

03 행복한 추억   a happy _____

04 답을 알아맞히다   _____ the answer

05 비밀을 지키다   keep a _____

C
문장

빈칸에 알맞은 말을 넣어 문장을 완성하시오.

01 In my _____, this is a good chance. 내 의견으로는 이것은 좋은 기회이다.

02 She _____ to learn Spanish. 그녀는 스페인어를 배우기로 결심했다.

03 What do you _____ _____ it? 그것에 대해 어떻게 생각하세요?

04 He was very angry _____ _____. 그는 처음에는 매우 화가 났었다.

05 Don't _____ _____ your dreams. 당신의 꿈을 포기하지 마세요.

어휘력 UPGRADE

01 say
[sei]
said-said

⑤ (~라고) 말하다

What did you **say**? 뭐라고 **말씀하셨죠**?

02 word
[wəːrd]

⑲ 단어, 낱말

What does this **word** mean? 이 **단어**는 무슨 뜻인가요?

03 tell
[tel]
told-told

⑤ 말하다, 이야기하다

He **told** us an interesting story.
그는 우리에게 재미있는 이야기를 **말해 주었다**.

04 answer
[ǽnsər]

⑤ 대답하다 ⑲ 대답, 답

Answer the question. 질문에 답하시오.
I knew the **answer**. 나는 답을 알고 있었다.
➕ the right **answer** 정답
the wrong **answer** 오답

05 agree
[əgríː]

⑤ 동의하다

I **agree** with you. 나는 네 말에 **동의해**.
➕ **agree** with ~에 동의하다

반의어 disagree
동의하지 않다

06 repeat
[ripíːt]

⑤ 반복하다, 다시 말하다

Could you **repeat** that slowly?
그것을 천천히 **다시 말씀해** 주시겠어요?

07 phone
[foun]

⑲ 전화, 전화기

Can I use your **phone**? 네 **전화기** 좀 써도 될까?
➕ answer the **phone** 전화를 받다

telephone: 전화기
cell phone: 휴대전화
smartphone: 스마트폰

08 sound
[saund]

명 소리　동 ~인 것 같다, ~처럼 들리다

I heard the **sound** of a car. 나는 자동차 **소리**를 들었다.
That **sounds** fun. 그것은 재미있을 **것 같다**.

09 mean
[miːn]
meant-meant

동 의미하다

Red **means** "stop." 빨간색은 '정지'를 **의미한다**.

meaning
명 의미, 뜻

10 suggest
[səgdʒést]

동 제안하다

He **suggested** a new idea.
그는 새로운 아이디어를 **제안했다**.

suggestion
명 제안, 제의

11 advice
[ədváis]

명 조언, 충고

Thank you for your **advice**. **조언** 고마워요.

advise
동 조언하다, 충고하다

> 시험 POINT　**advice vs. advise**
>
> 우리말을 영어로 바르게 옮긴 것을 고르시오.
>
> 그 의사의 조언
>
> ⓐ the doctor's advice
> ⓑ the doctor's advise

advice(조언)와 advise (조언하다)를 혼동하지 않도록 주의한다.

정답 ⓐ

12 discuss
[diskʌ́s]

동 논의하다, 토론하다

We **discussed** the plan with her.
우리는 그녀와 그 계획을 **논의했다**.

discussion
명 논의, 토론

13 speech
[spiːtʃ]

명 연설 ← 여러 사람 앞에서 자기의 주장을 발표하는 것

She made a good **speech**. 그녀는 훌륭한 **연설**을 했다.
➕ make a **speech** 연설하다

14 lie
[lai]
1. lay-lain
2. lied-lied

동 1. 눕다 2. 거짓말하다 명 거짓말

She was **lying** on the sofa. 그녀는 소파에 **누워** 있었다.

He **lied** to me. 그가 내게 **거짓말했다**.

➕ tell a **lie** 거짓말하다

> 🔔 시험 POINT **lie의 과거형**
>
> **각 네모 안에서 알맞은 것을 고르시오.**
> 1. I lied / lay to my parents. 나는 부모님께 거짓말했다.
> 2. I lied / lay on the grass. 나는 잔디 위에 누웠다.

동사 lie는 뜻에 따라 과거형·과거분사형이 다르다는 점에 주의하세요.
lie-lay-lain (눕다)
lie-lied-lied (거짓말하다)

'거짓말하다'의 과거형은 lied이고, '눕다'의 과거형은 lay이다.

정답 1. lied 2. lay

15 joke
[dʒouk]

명 농담, 장난 동 농담하다

My uncle often tells **jokes**.
우리 삼촌은 자주 **농담**을 하신다.

I was only **joking**. 나는 그냥 **농담한** 거였어.

16 dialogue
[dáiəlɔːg]

명 (책·영화·연극 속의) 대화

They practiced the **dialogue** in English.
그들은 영어로 그 **대화**를 연습했다.

dialog로 쓰기도 해요.

17 topic
[táːpik]

명 주제, 화제 ⌐이야깃거리

We talked about three different **topics**.
우리는 세 가지의 다른 **주제**에 대해 이야기했다.

➕ a hot **topic** (논란이 될 만한) 뜨거운 화제, 큰 화젯거리

18 shout
[ʃaut]

동 소리치다, 외치다 명 외침, 고함

Don't **shout** at me. 나한테 **소리치지** 마.

I heard **shouts** outside. 나는 밖에서 **고함** 소리를 들었다.

19 aloud
[əláud]

부 소리 내어, 큰 소리로

He read the letter **aloud**. 그는 편지를 소리 내어 읽었다.

loud 형 (소리가) 큰, 시끄러운

20 **introduce**
[intrədʒúːs]

동 소개하다

Let me **introduce** myself. 제 소개를 하겠습니다.

➕ **introduce** oneself 자기소개를 하다

introduction
명 소개

---

21 **email**
[íːmeil]

명 이메일

I check my **email** every day.
나는 매일 **이메일**을 확인한다.

mail 명 우편물

email은 electronic mail(전자 우편물)을 줄여서 만든 단어예요.

---

22 **post**
[poust]

동 (게시판·인터넷에) **게시하다**   명 **우편, 우편물**

He **posted** his picture on his website.
그는 자신의 웹사이트에 그의 사진을 **게시했다**.

➕ a **post** office 우체국

미국에서는 '우편, 우편물'을 mail이라고 하고, 영국에서는 주로 post라고 해요.

교과서 필수 암기 숙어

23 **say hello to**

~에게 안부를 전하다

Say hello to Mike for me. Mike에게 안부 전해 줘.

---

24 **ask for**

~을 요청하다

She **asked for** help. 그녀는 도움을 요청했다.

---

25 **keep in touch with**

~와 연락하고 지내다

Let's **keep in touch with** each other.
서로 **연락하고 지내자**.

Daily Test

빈틈없이 확인하기

[01-25] 영어는 우리말로, 우리말은 영어로 쓰시오.

01	mean		12	대답하다; 대답	
02	tell		13	소개하다	
03	word		14	전화, 전화기	
04	dialogue		15	눕다, 거짓말하다	
05	topic		16	소리; ~인 것 같다	
06	say		17	동의하다	
07	post		18	연설	
08	joke		19	논의하다, 토론하다	
09	shout		20	제안하다	
10	aloud		21	조언, 충고	
11	repeat		22	이메일	

23	keep in touch with	
24	~에게 안부를 전하다	
25	~을 요청하다	

STEP 2 제대로 적용하기

A
단어

주어진 단어를 의미에 맞게 바꿔 쓰시오.

01 introduce → 소개 _____

02 advice → 조언하다, 충고하다 _____

03 discuss → 논의, 토론 _____

04 mean → 의미, 뜻 _____

05 suggest → 제안, 제의 _____

B
구

우리말 의미에 맞게 빈칸에 알맞은 말을 쓰시오.

01 정답　　　　the right _____

02 연설하다　　make a _____

03 거짓말하다　tell a _____

04 전화를 받다　answer the _____

05 큰 화젯거리　a hot _____

C
문장

빈칸에 알맞은 말을 넣어 문장을 완성하시오.

01 _____ yourself to your classmates.　반 친구들에게 자기소개를 해라.

02 Do you _____ _____ her?　너는 그녀의 말에 동의하니?

03 I called him to _____ _____ advice.
나는 조언을 요청하기 위해 그에게 전화했다.

04 Please _____ _____ to your parents for me.
당신의 부모님께 안부 전해 주세요.

05 They still _____ _____ _____ with each other.
그들은 여전히 서로 연락하고 지낸다.

01 〈보기〉에 주어진 말을 모두 포괄하는 단어는?

> **보기** director   scientist   engineer   farmer

① office   ② opinion   ③ job
④ company   ⑤ topic

02 짝지어진 단어의 관계가 〈보기〉와 다른 것은? ⚭ DAY 30 시험 POINT

> **보기**   suggest – suggestion

① decide – decision   ② die – death
③ discuss – discussion   ④ imagine – imagination
⑤ advice – advise

03 우리말과 일치하도록 할 때 빈칸에 들어갈 말이 순서대로 짝지어진 것은?
⚭ DAY 26, 29 시험 POINT

- 나는 너와 이야기하고 싶다.
  → I want _____ to you.
- 그 인형은 진짜 아기처럼 보인다.
  → The doll looks _____ a real baby.

① talk – like   ② talk – likes
③ to talk – like   ④ to talk – likes
⑤ to talk – to like

04 문맥상 빈칸에 들어갈 말로 알맞은 것은?

> I don't _____ Kate. My opinion is different from hers.

① ask for   ② think about   ③ agree with
④ say hello to   ⑤ keep in touch with

05 밑줄 친 부분의 의미가 어색한 것은?   🔗 **DAY 27** 시험 POINT

① We'll get there <u>on time</u>. (제시간에)
② I'm not going to <u>give up</u>. (포기하다)
③ They didn't believe me <u>at first</u>. (처음에는)
④ The boy <u>lives</u> in London with his aunt. (인생)
⑤ <u>From now on</u>, I'm going to exercise every day. (이제부터)

06 각 네모 (A)와 (B)에서 알맞은 단어를 골라 쓰시오.   🔗 **DAY 28, 30** 시험 POINT

서술형

> • He went to bed (A) late / lately last night.
> • I'm sorry I (B) lied / lay to you.

(A) _____   (B) _____

07 우리말과 일치하도록 주어진 말을 사용하여 문장을 완성하시오.   🔗 **DAY 28** 시험 POINT

서술형

> 나는 경기가 시작되기 전에 집에 도착했다. (the game started, I got home)

→ _____ before _____.

PART 7

크기와 거리

듣으며 외우기

---

01 size
[saiz]

명 크기

What's your shoe **size**? 당신의 신발 **크기**는 몇이에요?

---

02 big
[big]

형 큰

This T-shirt is too **big** for me.
이 티셔츠는 나에게 너무 **크다**.

> big은 a big problem(큰 문제), big news(중대한 소식)와 같이 중요도가 큰 것을 말할 때도 쓰여요.

---

03 small
[smɔːl]

형 작은

We moved to a **small** town.
우리는 **작은** 동네로 이사했다.

> 반의어 big 큰

---

04 large
[lɑːrdʒ]

형 (크기·면적 등이) 큰, 넓은

We ordered a **large** pizza. 우리는 **라지** 피자를 주문했다.

---

05 huge
[hjuːdʒ]

형 거대한

The building is **huge**. 그 건물은 **거대하다**.

> huge는 엄청나게 큰 것을 말할 때 써요.

> 시험 POINT **huge의 의미**
>
> 밑줄 친 단어와 바꿔 쓸 수 있는 말을 고르시오.
> We saw a <u>huge</u> gorilla in the zoo.
> ⓐ very small   ⓑ very big   ⓒ very smart
>
> 우리는 동물원에서 거대한 고릴라를 보았다.
> ⓐ 매우 작은 ⓑ 매우 큰 ⓒ 매우 똑똑한
>
> 정답 ⓑ

---

06 tiny
[táini]

형 아주 작은

Look at the baby's fingers. They're so **tiny**!
아기의 손가락들 좀 봐. 정말 **작아**!

07 **long**
[lɔːŋ]

형 긴

Jane has **long**, brown hair.
Jane은 **긴** 갈색 머리를 가지고 있다.

반의어 short 짧은

---

08 **deep**
[diːp]

형 깊은

The lake looks very **deep**. 그 호수는 매우 **깊어** 보인다.

---

09 **high**
[hai]

형 높은 부 높이, 높게

He climbed **high** mountains in the Alps.
그는 알프스의 **높은** 산에 올랐다.

He kicked the ball **high** in the air.
그는 공을 공중으로 **높이** 찼다.

'높이, 높게'라는 뜻의 부사를 highly로 혼동하지 않도록 주의하세요. highly는 '매우'라는 뜻이에요.

---

10 **low**
[lou]

형 낮은 부 낮게

This chair is too **low** for me. 이 의자는 나에게 너무 **낮다**.

A bird is flying **low**. 새가 **낮게** 날고 있다.

반의어 high
높은; 높게

---

11 **thick**
[θik]

형 두꺼운, 굵은

He is reading a **thick** book. 그는 **두꺼운** 책을 읽고 있다.

➊ a **thick** coat 두꺼운 코트

---

12 **thin**
[θin]

형 1. 얇은, 가는 2. (몸이) 마른

She is wearing a **thin** jacket.
그녀는 **얇은** 재킷을 입고 있다.

He is tall and **thin**. 그는 키가 크고 **말랐다**.

반의어
thick 두꺼운, 굵은
fat 뚱뚱한, 살찐

---

13 **wide**
[waid]

형 (폭이) 넓은

The river is deep and **wide**. 그 강은 깊고 **넓다**.

14 narrow
[nǽrou]

형 (폭이) 좁은

They walked down a **narrow** street.
그들은 **좁은** 길을 걸어갔다.

---

15 shape
[ʃeip]

명 모양, 형태

I made cookies in different **shapes**.
나는 다른 **모양**으로 쿠키를 만들었다.

---

16 circle
[sə́ːrkl]

명 원, 동그라미

Draw a **circle** on the paper. 종이 위에 **원**을 그리세요.
The children sat in a **circle**.
그 아이들은 **원**을 지어 앉았다.

---

17 triangle
[tráiæŋgl]

명 삼각형

I cut the sandwich into **triangles**.
나는 샌드위치를 **삼각형**으로 잘랐다.

tri(숫자 3)+angle(각)

---

18 square
[skwɛər]

명 정사각형 형 정사각형의

A **square** has four corners.
정사각형은 모서리가 네 개 있다.

○ a **square** table 정사각형 탁자

네모 모양의 넓은 공간인
'광장'도 square라고 해
요.

---

19 line
[lain]

명 선, 줄

I drew a **line** with a ruler. 나는 자로 **선**을 그렸다.

○ a straight **line** 직선

---

20 side
[said]

명 1. 쪽, 측 2. 옆, 옆면

My house is on the left **side** of the street.
우리 집은 그 길의 왼**쪽**에 있다.

○ the **side** of a box 상자의 옆면

21 **type**
[taip]

명 유형, 종류

I like all **types** of sports.
나는 모든 **종류**의 운동을 좋아한다.

➕ blood **type** 혈액형

22 **near**
[niər]

전 ～ 가까이에

He lives **near** the park. 그는 공원 **가까이에** 산다.

➕ **near** here 이 근처에

교과서 필수 암기 숙어

23 **far from**

～에서 멀리

The restaurant is **far from** here. 그 식당은 여기에서 **멀다**.

24 **for a long time**

오랫동안

We were waiting for him **for a long time**.
우리는 **오랫동안** 그를 기다리고 있었다.

25 **from A to B**

A에서[부터] B까지

It takes an hour to get **from** Seoul **to** Jeju by plane.
서울**에서** 제주**까지** 비행기로 한 시간 걸린다.

They work **from** 9 **to** 6. 그들은 9시**부터** 6시**까지** 일한다.

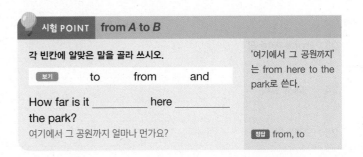

시험 POINT **from A to B**

각 빈칸에 알맞은 말을 골라 쓰시오.

| 보기 | to | from | and |

How far is it _____ here _____
the park?
여기에서 그 공원까지 얼마나 먼가요?

'여기에서 그 공원까지'
는 from here to the
park로 쓴다.

정답 from, to

Daily Test

[01-25] 영어는 우리말로, 우리말은 영어로 쓰시오.

01	long		12	두꺼운, 굵은	
02	size		13	깊은	
03	thin		14	쪽, 측, 옆, 옆면	
04	type		15	삼각형	
05	large		16	~ 가까이에	
06	narrow		17	정사각형; 정사각형의	
07	big		18	원, 동그라미	
08	high		19	(폭이) 넓은	
09	small		20	낮은; 낮게	
10	line		21	아주 작은	
11	huge		22	모양, 형태	

23 from *A* to *B*

24 ~에서 멀리

25 오랫동안

STEP 2 제대로 적용하기

A
단어

주어진 단어를 지시대로 바꿔 쓰시오.

01 small → 반의어 ＿＿＿＿＿＿＿＿

02 wide → 반의어 ＿＿＿＿＿＿＿＿

03 low → 반의어 ＿＿＿＿＿＿＿＿

04 long → 반의어 ＿＿＿＿＿＿＿＿

05 thick → 반의어 ＿＿＿＿＿＿＿＿

B
구

우리말 의미에 맞게 빈칸에 알맞은 말을 쓰시오.

01 직선   a straight ＿＿＿＿＿＿＿＿

02 상자의 옆면   the ＿＿＿＿＿＿＿＿ of a box

03 이 근처에   ＿＿＿＿＿＿＿＿ here

04 혈액형   blood ＿＿＿＿＿＿＿＿

05 정사각형 탁자   a ＿＿＿＿＿＿＿＿ table

C
문장

빈칸에 알맞은 말을 넣어 문장을 완성하시오.

01 We sat in a ＿＿＿＿＿＿ to play a game.
우리는 게임을 하기 위해 원을 지어 앉았다.

02 My house is ＿＿＿＿＿＿ ＿＿＿＿＿＿ the library.
우리 집은 그 도서관에서 멀다.

03 I stayed there for a ＿＿＿＿＿＿ ＿＿＿＿＿＿.
나는 그곳에 오랫동안 머물렀다.

04 How far is it ＿＿＿＿＿＿ here ＿＿＿＿＿＿ the bus stop?
여기에서 버스 정류장까지 얼마나 먼가요?

어휘력 UPGRADE

01 great
[greit]

형 훌륭한, 위대한

Beethoven was a **great** musician.
베토벤은 **위대한** 음악가였다.

02 wonderful
[wʌ́ndərfəl]

형 멋진, 근사한

We had a **wonderful** time in Busan.
우리는 부산에서 **멋진** 시간을 보냈다.

03 bad
[bæd]
비교급 worse
최상급 worst

형 나쁜, 좋지 않은

Don't shake your legs. It's a **bad** habit.
다리를 떨지 마라. 그것은 **나쁜** 습관이다.

반의어 good 좋은

시험 POINT **bad의 비교급**

네모 안에서 알맞은 것을 고르시오.

Things are getting │ more bad / worse │.

상황이 더 나빠지고 있다.

bad의 비교급은
worse이다.

정답 worse

---

04 fantastic
[fæntǽstik]

형 환상적인, 아주 좋은

The opera was **fantastic**. 그 오페라는 **환상적이었다.**

05 terrible
[térəbl]

형 끔찍한, 지독한

I heard some **terrible** news. 나는 **끔찍한** 소식을 들었다.

terrible은 상태가 매우
나쁘거나 심각한 것을 말
할 때 주로 써요.

06 simple
[símpl]

형 간단한, 단순한

This problem is very **simple**. 이 문제는 매우 **간단하다.**

07 correct
[kərékt]

형 정확한, 맞는

The **correct** spelling of 40 is f-o-r-t-y.
40의 **정확한** 철자는 forty이다.

---

08 wrong
[rɔːŋ]

형 틀린, 잘못된

That's the **wrong** answer. 그것은 **틀린** 답이다.

What's wrong?은 '무슨 일 있어?'라는 뜻으로 상대방을 걱정하며 하는 말이에요.

---

09 important
[impɔ́ːrtənt]

형 중요한

She has an **important** meeting today.
그녀는 오늘 **중요한** 회의가 있다.

importance
명 중요성

---

10 free
[friː]

형 1. 자유로운, 한가한 2. 무료의

I'm **free** this weekend. 나는 이번 주말에 **한가하다**.
I got some **free** movie tickets.
나는 **무료** 영화표 몇 장을 얻었다.

➕ **free** time 여가 시간   for **free** 무료로

freedom 명 자유

---

11 fresh
[freʃ]

형 신선한, 갓 만든

He bought some **fresh** fruit.
그는 **신선한** 과일을 조금 샀다.

➕ **fresh** bread 갓 구운 빵

---

12 bright
[brait]

형 (빛·색깔 등이) 밝은, 환한

My room is **bright** and warm. 내 방은 **밝고** 따뜻하다.

➕ a **bright** color 밝은색

반의어 dark 어두운

13 flat
[flæt]

형 평평한, 납작한

Coins are usually round and **flat**.
동전은 보통 둥글고 **납작하다**.

굽이 낮아 납작하고 평평한 신발을 가리켜 '플랫 슈즈(flat shoes)'라고 해요.

14 strange
[streindʒ]

형 1. 이상한 2. 낯선

I had a **strange** dream last night.
나는 어젯밤에 **이상한** 꿈을 꾸었다.

➕ a **strange** city 낯선 도시

stranger
명 낯선 사람, (어떤 지역에) 처음 온 사람

15 smooth
[smuːð]

형 매끄러운

She has **smooth** skin. 그녀는 **매끄러운** 피부를 가졌다.

16 regular
[régjələr]

┌ 기간이 일정하게 정해져 있는

형 규칙적인, 정기적인

Regular exercise is good for your health.
규칙적인 운동은 건강에 좋다.

regularly
부 규칙적으로, 정기적으로

17 silent
[sáilənt]

형 조용한, 고요한

The streets were strangely **silent**.
그 거리는 이상하게 **고요했다**.

silence
명 고요함, 침묵

유의어 quiet

18 everything
[évriθiŋ]

대 모든 것, 전부

Everything is ready. 모든 것이 준비되어 있다.

🎈 시험 POINT everything + 단수 동사

네모 안에서 알맞은 것을 고르시오.

Everything is / are perfect.
모든 것이 완벽하다.

everything 뒤에는 단수 동사가 온다. '모든 것'이라는 우리말 때문에 복수 동사를 쓰지 않도록 주의한다.

정답 is

19 **describe**
[diskráib]

└ 보이는 대로 말하거나 그리다

동 묘사하다, 자세히 설명하다

I **described** the man to the police.
나는 경찰에게 그 남자를 **자세히 설명했다**.

---

20 **example**
[igzǽmpl]

명 예, 보기

Can you give me an **example**?
예를 하나 들어 주실 수 있나요?

➕ for **example** 예를 들어

---

21 **really**
[ríːəli]

부 정말로, 실제로

Did you **really** see him? 너는 **정말로** 그를 봤니?

real
형 진짜의, 실제의

---

22 **anyway**
[éniwèi]

부 어쨌든

It's raining, but we'll go **anyway**.
비가 오고 있지만, **어쨌든** 우리는 갈 것이다.

교과서 필수 암기 숙어

23 **take it easy**

마음을 편하게 먹다, 쉬엄쉬엄하다

Take it easy. Everything will be fine.
마음 편하게 먹어. 다 괜찮을 거야.

---

24 **slow down**

속도를 줄이다

You must **slow down** here.
당신은 여기에서 **속도를 줄여야** 합니다.

---

25 **at once**

1. 동시에, 한꺼번에 2. 즉시, 당장

I can't do two things **at once**. 나는 두 가지 일을 **동시에** 할 수 없다.
Come to my office **at once**. **즉시** 제 사무실로 오세요.

유의어 right away

Daily Test

[01-25] 영어는 우리말로, 우리말은 영어로 쓰시오.

01	bad		12	끔찍한, 지독한	
02	flat		13	매끄러운	
03	correct		14	중요한	
04	great		15	신선한, 갓 만든	
05	everything		16	어쨌든	
06	wonderful		17	간단한, 단순한	
07	silent		18	자유로운, 무료의	
08	wrong		19	정말로, 실제로	
09	bright		20	묘사하다	
10	regular		21	환상적인, 아주 좋은	
11	example		22	이상한, 낯선	

23 at once

24 take it easy

25 속도를 줄이다

STEP 2 제대로 적용하기

A
단어

주어진 말을 지시대로 바꿔 쓰시오.

01 bad → 반의어 _____

02 bright → 반의어 _____

03 silent → 유의어 _____

04 at once → 유의어 _____ _____

B
구

우리말 의미에 맞게 빈칸에 알맞은 말을 쓰시오.

01 신선한 과일 _____ fruit

02 나쁜 습관 a _____ habit

03 여가 시간 _____ time

04 규칙적인 운동 _____ exercise

05 예를 들어 for _____

C
문장

빈칸에 알맞은 말을 넣어 문장을 완성하시오.

01 What is that _____ noise? 저 이상한 소리는 뭐지?

02 Please _____ your best friend. 당신의 가장 친한 친구를 묘사하세요.

03 The food at the restaurant was _____. 그 식당의 음식은 끔찍했다.

04 You should call the police at _____. 당신은 즉시 경찰에 신고해야 합니다.

05 _____ it _____. You don't have to be so nervous.
마음 편하게 먹어. 그렇게 긴장할 필요 없어.

수와 양

돌으며 외우기

01 number
[nʌ́mbər]

명 1. 수, 숫자 2. 번호

Seven is my lucky **number**. 7은 나의 행운의 **숫자**이다.
What is your phone **number**? 전화**번호**가 뭐예요?

---

02 hundred
[hʌ́ndrəd]

명 백(100) 형 백(100)의

The tree is two **hundred** years old.
그 나무는 2**백**년 되었다.

✚ **hundreds** of 수백의

숫자 100은 a hundred
또는 one hundred라고
해요.

---

03 thousand
[θáuzənd]

명 천(1,000) 형 천(1,000)의

Three **thousand** people came to the concert.
3**천** 명의 사람들이 콘서트에 왔다.

✚ **thousands** of 수천의

two hundred, three
thousand와 같이 구체
적인 수를 나타낼 때는
hundred, thousand 끝
에 -s를 붙이지 않아요.

---

04 many
[méni]
비교급 more
최상급 most

형 (수가) 많은

There are **many** students in the library.
도서관에 학생들이 **많다**.

---

05 much
[mʌtʃ]
비교급 more
최상급 most

형 (양이) 많은 부 매우, 대단히

We don't have **much** time. 우리는 시간이 **많지** 않다.
Thank you very **much**. **대단히** 고맙습니다.

시험 POINT   **many vs. much**

네모 안에서 알맞은 것을 고르시오.
He spends too | many / much | money.
그는 너무 많은 돈을 쓴다.

time, money, water
처럼 셀 수 없는 명사
의 많은 양을 나타낼
때는 much를 쓴다.

정답 much

06 all
[ɔːl]

형 모든 대 모두

All my friends like sports.
내 친구들은 **모두** 스포츠를 좋아한다.

All of them enjoyed the party.
그들 **모두**는 그 파티를 즐겼다.

07 anything
[éniθiŋ]

대 아무것(도), 무엇이든

You can choose **anything**. 너는 **아무거나** 골라도 된다.

➕ **anything** else 그 밖에 무엇이든

08 nothing
[nʌθiŋ]

대 아무것도 ~ 아니다[없다]

There is **nothing** in the box. 상자 안에 **아무것도 없다**.
Nothing happened. **아무일도** 일어나지 **않았다**.

nothing 자체에 부정의 의미가 있으므로, 동사를 부정형으로 쓰지 않아요.

09 several
[sévərəl]

형 몇몇의, 여럿의

I saw the movie **several** times.
나는 그 영화를 **여러** 번 봤다.

10 enough
[inʌf]

형 (필요한 만큼) 충분한 부 충분히

I don't have **enough** time. 나는 **충분한** 시간이 없다.
The room is big **enough** for us.
그 방은 우리에게 **충분히** 크다.

enough의 gh는 [f]로 발음되므로 발음과 철자에 주의하세요.

11 empty
[émpti]

형 비어 있는

The box is **empty**.
그 상자는 **비어 있다**.

반의어 full 가득 찬

12 only
[óunli]

부 겨우, 단지 형 유일한

He is **only** ten years old. 그는 **겨우** 열 살이다.
I was the **only** person on the bus.
나는 버스에 탄 **유일한** 사람이었다.

13 a few

(수가) 몇몇의, 약간의

He has **a few** friends. 그는 친구가 **몇** 명 있다.

---

14 a little

(양이) 약간의, 조금의

There is **a little** water in the glass.
유리잔에 물이 **조금** 있다.

> **시험 POINT** **a few vs. a little**
>
> 각 네모 안에서 알맞은 것을 고르시오.
> 1. a few / a little students 몇몇 학생들
> 2. a few / a little sugar 약간의 설탕
>
> 1. 적은 수를 나타내므로 a few가 알맞다.
> 2. 적은 양을 나타내므로 a little이 알맞다.
>
> **정답** 1. a few
> 2. a little

---

15 few
[fju:]

형 (수가) 거의 없는

He has **few** friends. 그는 친구가 **거의 없다**.

a few는 '(수가) 조금 있는'이라는 긍정의 뜻이고, few는 '(수가) 거의 없는'이라는 부정의 뜻이에요.

---

16 little
[lítl]

형 1. (양이) 거의 없는 2. 작은, 어린

There is **little** water in the glass.
유리잔에 물이 **거의 없다**.

My **little** brother likes to draw.
내 남**동생**은 그림 그리는 것을 좋아한다.

a little은 '(양이) 조금 있는'이라는 긍정의 뜻이고, little은 '(양이) 거의 없는'이라는 부정의 뜻이에요.

---

17 half
[hæf]
복수형 halves

명 반, 절반

Cut the tomato in **half**.
토마토를 **반**으로 자르세요.

⊕ **half** an hour 30분

half의 l은 소리가 나지 않는 묵음이므로 발음과 철자에 주의하세요.

---

18 amount
[əmáunt]

명 (시간·물질의) 양

He saves the same **amount** of money every week. 그는 매주 같은 **양**의 돈을 저축한다.

¹⁹ **count**
[kaunt]

동 (수를) 세다, 계산하다

My little sister can **count** to ten.
내 여동생은 열까지 **셀** 수 있다.

²⁰ **add**
[æd]

동 더하다, 추가하다

I **added** salt to the soup. 나는 수프에 소금을 **추가했다.**

addition
명 덧셈, 추가된 것

²¹ **divide**
[diváid]

동 나누다

She **divided** the cake into six pieces.
그녀는 케이크를 여섯 조각으로 **나눴다.**

➕ **divide** *A* into *B* A를 B(조각)으로 나누다

²² **fill**
[fil]

동 채우다

The waiter **filled** the glass with water.
웨이터는 유리잔을 물로 **채웠다.**

➕ **fill** *A* with *B* A를 B로 채우다

교과서 필수 암기 숙어

²³ **a lot of**

(수·양이) 많은

A lot of people got on the bus. **많은** 사람들이 버스에 탔다.
They paid **a lot of** money for the house.
그들은 그 집을 위해 **많은** 돈을 지불했다.

유의어 lots of

²⁴ **how many**

몇 개의, 몇 명의

How many brothers and sisters do you have?
당신은 형제자매가 **몇 명** 있나요?

비교 how much (가격이) 얼마, (양이) 얼마나 많은

²⁵ **take out**

~을 꺼내다

He **took out** a pen. 그는 펜 한 자루를 **꺼냈다.**

Daily Test

[01-25] 영어는 우리말로, 우리말은 영어로 쓰시오.

01   all

02   a few

03   few

04   many

05   thousand

06   nothing

07   a little

08   little

09   several

10   add

11   amount

12   (수를) 세다, 계산하다

13   나누다

14   백(100); 백(100)의

15   아무것(도), 무엇이든

16   반, 절반

17   수, 숫자, 번호

18   비어 있는

19   충분한; 충분히

20   겨우, 단지; 유일한

21   (양이) 많은; 매우

22   채우다

23   a lot of

24   ~을 꺼내다

25   몇 개의, 몇 명의

제대로 적용하기

A
단어

그림을 보고, 보기 에서 알맞은 단어를 골라 쓰시오.

> 보기   count   divide   fill   add

01 _____

02 _____

03 _____

04 _____

B
구

우리말 의미에 맞게 빈칸에 알맞은 말을 쓰시오.

01 30분 _____ an hour

02 전화번호 a phone _____

03 300 three _____

04 그 밖에 무엇이든 _____ else

C
문장

빈칸에 알맞은 말을 넣어 문장을 완성하시오.

01 I don't have _____ money. 나는 충분한 돈이 없다.

02 She has _____ _____ of friends. 그녀는 친구들이 많다.

03 _____ _____ cousins do you have? 너는 사촌이 몇 명 있니?

04 He _____ _____ a notebook. 그는 공책 한 권을 꺼냈다.

05 There were _____ of people at the concert.
그 콘서트에 수천 명의 사람들이 있었다.

도로와 교통

들으며 외우기

01 street
[stri:t]

몡 거리

We walked along the **street**.
우리는 그 **거리**를 따라 걸었다.

➕ on the **street** 거리에서

---

02 road
[roud]

몡 도로

There are many cars on the **road**.
도로에 자동차들이 많다.

road는 자동차 등의 교통수단이 오갈 수 있는 길이에요.

---

03 way
[wei]

몡 1. 길 2. 방법

Can you tell me the **way** to City Hall?
시청으로 가는 **길**을 알려 주시겠어요?

Exercising is the best **way** to lose weight.
운동하는 것은 살을 빼는 가장 좋은 **방법**이다.

---

04 cross
[krɔ:s]

동 건너다, 가로지르다

Mom and I were **crossing** the street.
엄마와 나는 길을 **건너고** 있었다.

---

05 drive
[draiv]
drove-driven

동 운전하다

My dad **drives** a taxi. 우리 아빠는 택시를 **운전하신다**.

driver 몡 운전기사, 운전하는 사람

---

06 bike
[baik]

몡 자전거

I go to school by **bike**. 나는 **자전거**를 타고 학교에 간다.

➕ by **bike** 자전거를 타고

bicycle로 쓰기도 해요.

---

07 ride
[raid]
rode-ridden

동 (탈것에) 타다

I like to **ride** a bike. 나는 자전거를 **타는** 것을 좋아한다.

➕ **ride** a bike 자전거를 타다

---

08 corner
[kɔ́ːrnər]

몡 모퉁이, 구석

The hotel is at the **corner** of the street.
그 호텔은 그 길의 **모퉁이**에 있다.

➕ in the **corner** of the room 방구석에

---

09 left
[left]

혱 왼쪽의 븮 왼쪽으로

He writes with his **left** hand. 그는 **왼**손으로 글씨를 쓴다.

➕ turn **left** 왼쪽으로 돌다, 좌회전하다

---

10 right
[rait]

혱 1. 맞는, 정확한   2. 오른쪽의   븮 오른쪽으로

Your answer is **right**. 네 답이 **맞다**.

➕ turn **right** 오른쪽으로 돌다, 우회전하다

유의어 correct 정확한

반의어
wrong 틀린, 잘못된
left 왼쪽의; 왼쪽으로

> 🎈 **시험 POINT**   right의 의미
>
> 밑줄 친 단어의 의미를 골라 기호를 쓰시오.
>
> 보기   ⓐ 맞는, 정확한   ⓑ 오른쪽의
>
> 1. your right hand   _____
> 2. the right answer   _____

1. 네 오른손
2. 정답

정답 1. ⓑ 2. ⓐ

---

11 sign
[sain]

몡 표지판 됭 서명하다, 사인하다

There is a stop **sign** on the street.
거리에 정지 **표지판**이 있다.

Please **sign** here. 여기에 **서명해** 주세요.

sign의 g는 소리가 나지
않는 묵음이므로 발음과
철자에 주의하세요.

---

12 block
[blɑːk]

몡 블록, 구역 됭 막다

Go two **blocks** down the street.
길을 따라 두 **블록** 가세요.

A large truck is **blocking** the road.
큰 트럭이 도로를 **막고** 있다.

one block

---

13 bridge
[bridʒ]

몡 (강·도로 등의) 다리

We crossed the **bridge**. 우리는 그 **다리**를 건넜다.

14 subway
[sʌ́bwèi]

명 지하철

We took the **subway** to the museum.
우리는 **지하철**을 타고 박물관에 갔다.

➕ take the **subway** 지하철을 타다

15 station
[stéiʃən]

명 역

You can catch the KTX at Seoul **Station**.
당신은 서울**역**에서 KTX를 탈 수 있다.

➕ a subway **station** 지하철역

16 train
[trein]

명 기차

She took the first **train** to Daegu.
그녀는 대구로 가는 첫 **기차**를 탔다.

➕ take a **train** 기차를 타다

17 ship
[ʃip]

명 배

They traveled by **ship**. 그들은 **배**를 타고 여행했다.

➕ by **ship** 배로, 배를 타고

18 plane
[plein]

명 비행기

The **plane** leaves at 10 a.m.
그 **비행기**는 오전 10시에 출발한다.

19 speed
[spiːd]

명 속도, 속력

The car was traveling at high **speed**.
그 자동차는 빠른 **속도**로 달리고 있었다.

20 wait
[weit]

동 기다리다

She is **waiting** for the bus. 그녀는 버스를 **기다리고** 있다.
➕ **wait** for ~을 기다리다

21 miss
[mis]

동 1. 놓치다   2. 그리워하다

Oh, no. We **missed** the train. 아, 이런. 우리 기차 놓쳤어.

I **miss** you. 나는 네가 그리워.

반의어 catch
잡아타다

---

22 pass
[pæs]

동 1. 지나가다   2. 건네주다   3. 합격하다

The car **passed** under the bridge.
그 자동차는 다리 밑을 **지나갔다**.

Pass me the ball! 나한테 공을 **패스해**!

He **passed** the test. 그는 그 시험에 **합격했다**.

반의어 fail
(시험에) 떨어지다

'시간이 지나간다'고 할
때도 pass를 써요.
Time passes quickly.
(시간이 빨리 지나간다.)

교과서 필수 암기 숙어

23 go straight

똑바로 가다, 직진하다

Go straight two blocks. 두 블록을 직진하세요.

---

24 by bus

버스로, 버스를 타고

My dad goes to work **by bus**. 우리 아빠는 **버스를 타고** 출근하신다.

비교 by car, by train, by subway, by plane 등과 같이 교통수단 앞에는 by를 써요.
반면 '걸어서, 도보로'는 on foot으로 써요.

시험 POINT   이동 수단을 나타내는 표현

각 네모 안에서 알맞은 것을 고르시오.
1. He goes to school [by / on] foot.
2. She goes to school [by / on] subway.

'걸어서'는 on foot으로 쓰고, subway와 같은 교통수단 앞에는 by를 쓴다.

정답 1. on 2. by

---

25 get off

(탈것에서) 내리다

We **got off** the train. 우리는 기차에서 **내렸다**.

반의어 get on (탈것에) 타다

Daily Test

[01-25] 영어는 우리말로, 우리말은 영어로 쓰시오.

01 corner		12 (강·도로 등의) 다리	
02 way		13 맞는, 오른쪽의	
03 street		14 기차	
04 plane		15 표지판; 서명하다	
05 ride		16 속도, 속력	
06 drive		17 도로	
07 cross		18 기다리다	
08 miss		19 역	
09 left		20 지나가다, 건네주다	
10 ship		21 블록, 구역; 막다	
11 bike		22 지하철	

23 by bus

24 (탈것에서) 내리다

25 똑바로 가다, 직진하다

STEP 2   제대로 적용하기

A 단어

주어진 말을 지시대로 바꿔 쓰시오.

01 left   → 반의어 _____

02 correct   → 유의어 _____

03 fail   → 반의어 _____

04 get off   → 반의어 _____ _____

B 구

우리말 의미에 맞게 빈칸에 알맞은 말을 쓰시오.

01 기차를 타고   by _____

02 걸어서   _____ foot

03 자전거를 타다   _____ a bike

04 길을 건너다   _____ the street

05 모퉁이에   at the _____

06 정지 표지판   a stop _____.

C 문장

빈칸에 알맞은 말을 넣어 문장을 완성하시오.

01 She takes the _____ to school. 그녀는 지하철을 타고 학교에 간다.

02 _____ _____ one block. 한 블록을 직진하세요.

03 _____ _____ at the corner. 모퉁이에서 왼쪽으로 도세요.

04 I'll _____ _____ you at the bus stop.
    버스 정류장에서 너를 기다릴게.

05 We should _____ _____ at the next station.
    우리는 다음 역에서 내려야 해.

사건과 빈도

 들으며 외우기

01 event
[ivént]

명 1. (중요한) **사건, 일** 2. 행사, 이벤트

It was the biggest **event** of my life.
그것은 내 인생에서 가장 큰 **사건**이었다.

➕ a sporting **event** 스포츠 행사

---

02 happen
[hǽpən]

동 (사건이) **일어나다, 발생하다**

What **happened** to her? 그녀에게 무슨 일이 **일어났니**?

---

03 true
[tru:]

형 1. 사실인 2. 진짜의, 진정한

That's not **true**. 그것은 **사실**이 아니다.

➕ a **true** story 실화   **true** love 진정한 사랑

반의어 false 거짓의

시험 문제나 퀴즈 등에서 True or false?라고 하면 참인지 거짓인지 묻는 말이에요.

---

04 fact
[fækt]

명 사실

He needs to know the **facts**. 그는 **사실**을 알 필요가 있다.

➕ in **fact** 사실은

---

05 check
[tʃek]

동 확인하다, 점검하다 명 확인, 점검

He **checked** his email. 그는 이메일을 **확인했다**.

➕ a health **check** 건강 검진

---

06 newspaper
[njúːzpèipər]

명 신문

My dad reads the **newspaper** every morning.
우리 아빠는 아침마다 **신문**을 읽으신다.

신문을 가리켜 paper라고도 해요.

07 reporter
[ripɔ́:rtər]

몡 기자, 리포터

She is a **reporter** for CNN. 그녀는 CNN의 **기자**이다.

report
통 보도하다
몡 보고서, 보도

---

08 always
[ɔ́:lweiz]

閉 항상

He **always** wears jeans. 그는 **항상** 청바지를 입는다.

---

09 often
[ɔ́:fən]

閉 자주, 종종

We **often** go to the mall. 우리는 **자주** 그 쇼핑몰에 간다.

---

10 sometimes
[sʌ́mtàimz]

閉 가끔, 때때로

Sometimes I go to the movies alone.
가끔 나는 혼자 영화를 보러 간다.

---

11 never
[névər]

閉 절대[전혀] ~ 않다

She is **never** late for school.
그녀는 **절대** 학교에 지각하지 **않는다**.

never 자체에 부정의 의미가 있으므로, 동사를 부정형으로 쓰지 않아요.

🎈 시험 POINT　문맥상 알맞은 빈도부사 고르기

문맥상 빈칸에 가장 알맞은 것을 고르시오.
I _____ eat carrots. I don't like them.
ⓐ always　　ⓑ often　　ⓒ never

나는 당근을 <u>전혀</u> 먹지 <u>않는다</u>. 나는 그것들을 좋아하지 않는다.

정답 ⓒ

---

12 once
[wʌns]

閉 한 번

I go swimming **once** a week.
나는 일주일에 **한 번** 수영하러 간다.

➕ **once** a month 한 달에 한 번

'두 번'은 twice라고 하며, '세 번'부터는 three times, four times처럼 숫자 뒤에 times를 붙여 말해요.

---

13 again
[əgén]

閉 또, 다시

It's nice to see you **again**. **다시** 만나서 반갑습니다.

➕ **again** and **again** 몇 번이고, 되풀이해서

¹⁴ **case**
[keis]

몡 1. 상자, 케이스 2. 경우

Whose pencil **case** is this? 이것은 누구의 필통이니?

In **case** of fire, use the stairs.
화재가 발생한 **경우**, 계단을 이용하시오.

---

¹⁵ **result**
[rizʌ́lt]

몡 결과

I'm worried about the **results** of the test.
나는 그 테스트의 **결과**가 걱정된다.

➕ as a **result** 결과적으로

---

¹⁶ **fair**
[fɛər]

혱 공평한, 공정한 몡 박람회

Teachers should be **fair** to every student.
교사는 모든 학생에게 **공평해야** 한다.

➕ a book **fair** 도서 박람회

---

¹⁷ **surprising**
[sərpráiziŋ]

혱 놀라운, 놀라게 하는

The news was **surprising**. 그 소식은 **놀라웠다**.

시험 POINT surprising vs. surprised

우리말을 영어로 바르게 옮긴 것을 고르시오.

놀라운 결과

ⓐ a surprising result
ⓑ a surprised result

surprised 혱 놀란

놀라운 대상을 묘사할 때 surprising을 쓴다.

정답 ⓐ

---

¹⁸ **first**
[fəːrst]

혱 첫 번째의, 처음의 뷔 먼저, 처음에

I remember my **first** day of school.
나는 학교에 간 **첫 번째** 날을 기억한다.

I have to finish my homework **first**.
나는 **먼저** 숙제를 끝내야 한다.

➕ at **first** 처음에는

반의어 last 마지막의

---

¹⁹ **second**
[sékənd]

혱 두 번째의 몡 (시간 단위) 초

She won **second** prize. 그녀는 2등상을 받았다.

A minute is 60 **seconds**. 1분은 60초이다.

Wait a second.는 '잠깐 기다려.'라는 뜻이에요.

20 already
[ɔːlrédi]

부 이미, 벌써

It's **already** 9 o'clock. We should leave now.
벌써 9시예요. 우리는 지금 출발해야 해요.

21 then
[ðen]

부 1. 그때 2. 그 다음에

I'll see you **then**. 그럼 **그때** 봐요.
First think, and **then** speak.
먼저 생각하라, 그리고 **그 다음에** 말하라.

'~보다'의 뜻으로 비교급 다음에 쓰는 than과 철자를 혼동하지 않도록 주의하세요.

22 during
[djúəriŋ]

전 ~ 동안[내내]

It snowed **during** the night. 밤 **동안** 눈이 왔다.
➊ **during** the vacation 방학 동안

교과서 필수 암기 숙어

23 after all

결국

They decided to leave **after all**. 그들은 **결국** 떠나기로 결심했다.
유의어 finally

24 at the same time

동시에

Peter and I arrived **at the same time**.
Peter와 나는 **동시에** 도착했다.
유의어 at once

25 more and more

점점 더 많은

More and more people are moving to the city.
점점 더 많은 사람들이 도시로 이동하고 있다.

Daily Test

[01-25] 영어는 우리말로, 우리말은 영어로 쓰시오.

01	happen		12	자주, 종종
02	case		13	사실
03	newspaper		14	또, 다시
04	surprising		15	결과
05	event		16	항상
06	second		17	가끔, 때때로
07	true		18	이미, 벌써
08	then		19	공평한; 박람회
09	once		20	기자, 리포터
10	check		21	첫 번째의; 먼저
11	during		22	절대[전혀] ~ 않다

23 after all

24 at the same time

25 점점 더 많은

STEP 2 제대로 적용하기

A 주어진 단어를 지시대로 바꿔 쓰시오.
단어

01 fair → 반의어 _____

02 false → 반의어 _____

03 first → 반의어 _____

04 finally → 유의어 _____ _____

B 우리말 의미에 맞게 빈칸에 알맞은 말을 쓰시오.
구

01 도서 박람회   a book _____

02 건강 검진   a health _____

03 사실은   in _____

04 결과적으로   as a _____

05 한 달에 한 번   _____ a month

C 빈칸에 알맞은 말을 넣어 문장을 완성하시오.
문장

01 They _____ went home. 그들은 이미 집에 갔다.

02 We _____ go camping. 우리는 자주 캠핑을 간다.

03 Did you have a good time _____ the vacation?
너는 방학 동안에 좋은 시간을 보냈니?

04 I felt nervous and excited at the _____ _____.
나는 동시에 긴장되기도 했고 신나기도 했다.

05 _____ and _____ people are shopping online.
점점 더 많은 사람들이 온라인으로 쇼핑하고 있다.

01 단어와 그 의미가 <u>잘못</u> 짝지어진 것은?

① fair: 공평한   ② flat: 평평한
③ regular: 규칙적인   ④ divide: 채우다
⑤ nothing: 아무것도 ~ 아니다

02 짝지어진 단어의 관계가 나머지 넷과 <u>다른</u> 것은?

① miss – catch   ② true – false   ③ empty – full
④ silent – quiet   ⑤ wide – narrow

03 밑줄 친 단어와 바꿔 쓸 수 있는 단어는? 🔗 DAY 34 시험 POINT

> Your answer is <u>right</u>.

① left   ② free   ③ important
④ correct   ⑤ wrong

04 빈칸에 들어갈 말이 순서대로 짝지어진 것은? 🔗 DAY 31 시험 POINT

> • I went to Jeju-do _____ the vacation.
> • They worked together _____ a long time.
> • It takes five minutes to get _____ here to the store.

① during – from – from   ② during – during – from
③ during – for – from   ④ for – during – from
⑤ for – from – from

05 문맥상 대화의 빈칸에 들어갈 수 <u>없는</u> 단어는?

> A How was the musical?
> B I loved it. It was _____.

① good   ② great   ③ wonderful
④ fantastic   ⑤ terrible

06 밑줄 친 부분의 쓰임이 <u>어색한</u> 것은?   DAY 33, 34, 35 시험 POINT

① He filled a box <u>with</u> books.
② We're going to travel <u>by</u> train.
③ I was waiting <u>for</u> her at the theater.
④ The movie has a <u>surprising</u> ending.
⑤ <u>A little</u> students were late for school.

07 우리말과 일치하도록 할 때 빈칸에 공통으로 들어갈 한 단어를 쓰시오.

서술형

> • 모든 일이 한꺼번에 일어났다.
>   → Everything happened at _____.
> • 그는 일주일에 한 번 세차한다.
>   → He washes his car _____ a week.

_____

08 우리말과 일치하도록 주어진 단어를 사용하여 문장을 완성하시오.

서술형

> 두 블록을 직진하고 왼쪽으로 도세요. (straight, blocks, turn)

→ Go _____ and _____.

PART 8

자연

들으며 외우기

01 nature
[néitʃər]

명 자연

I love **nature**. 나는 자연을 사랑한다.

natural 형 자연의,
자연스러운

---

02 sky
[skai]

명 하늘

The **sky** gets dark at night. 하늘은 밤에 어두워진다.

---

03 sun
[sʌn]

명 해, 태양

The **sun** goes down early in winter.
해는 겨울에 일찍 진다.

sun 앞에는 항상 the를
써요.

---

04 ground
[graund]

명 땅, 지면

The **ground** is wet from the rain.
비가 와서 땅이 축축하다.

---

05 fire
[faiər]

명 불

Do not make a **fire**. 불을 피우지 마시오.

---

06 sand
[sænd]

명 모래

The children played in the **sand**.
그 아이들은 모래에서 놀았다.

---

07 stone
[stoun]

명 돌, 돌멩이

He threw a **stone** at the window.
그는 창문에 돌을 던졌다.

08 **rock**
[rɑ:k]

명 1. 바위 2. 록 (음악)

He sat on a **rock**. 그는 바위 위에 앉았다.

➕ **rock** music 록 음악

09 **soil**
[sɔil]

식물이 자랄 수 있는 흙

명 토양

Plants grow well in good **soil**.
식물은 좋은 **토양**에서 잘 자란다.

10 **hole**
[houl]

명 구멍

There is a **hole** in the ground.
땅에 **구멍**이 하나 있다.

11 **field**
[fi:ld]

명 1. 들판, 밭 2. 경기장

The farmer grows carrots in his **field**.
그 농부는 그의 **밭**에서 당근을 재배한다.

➕ a baseball **field** 야구장

12 **hill**
[hil]

명 언덕

We climbed the **hill**. 우리는 그 **언덕**을 올랐다.

13 **desert**
[dézərt]

명 사막

The Sahara is the largest **desert** in the world.
사하라 사막은 세계에서 가장 큰 **사막**이다.

> 시험 POINT **desert vs. dessert**
>
> 각 네모 안에서 알맞은 것을 고르시오.
> 1. The desert / dessert is very hot and dry.
>   사막은 매우 덥고 건조하다.
> 2. What do you want for desert / dessert ?
>   당신은 후식으로 무엇을 원하세요?
>
> desert: 사막
> dessert: 후식
>
> 정답 1. desert
> 　　 2. dessert

¹⁴ **top**
[tɑːp]

명 꼭대기, 정상

We were at the **top** of the mountain.
우리는 산**꼭대기**에 있었다.

¹⁵ **jungle**
[dʒʌ́ŋgl]

명 정글, (열대의) 밀림 ⌐ 큰 나무들이 빽빽하게 들어선 깊은 숲

The lion is the king of the **jungle**.
사자는 **정글**의 왕이다.

¹⁶ **wood**
[wud]

명 1. (재료로서의) **나무, 목재** 2. **숲**

The table was made of **wood**.
그 탁자는 **나무**로 만들어졌다.

We went for a walk in the **woods**.
우리는 **숲**으로 산책하러 갔다.

유의어 forest 숲

wood가 '숲'을 의미할 때는 the woods로 써요.

¹⁷ **pond**
[pɑːnd]

명 연못

Ducks are swimming in the **pond**.
오리들이 **연못**에서 수영하고 있다.

¹⁸ **river**
[rívər]

명 강

We crossed the **river** by boat.
우리는 보트를 타고 **강**을 건넜다.

¹⁹ **sea**
[siː]

명 바다

I like swimming in the **sea**.
나는 **바다**에서 수영하는 것을 좋아한다.

➕ the East **Sea** 동해

the East Sea는 우리나라의 '동해'를 가리키는 고유명사이므로 첫 글자를 대문자로 써요.

²⁰ **ocean**
[óuʃən]

명 대양, 큰 바다

Many kinds of fish live in the **ocean**.
많은 종류의 물고기들이 **바다**에 산다.

➕ the Pacific **Ocean** 태평양

태평양이나 대서양처럼 sea보다 규모가 크고 넓은 바다를 ocean이라고 해요.

21 wave
[weiv]

명 파도, 물결   동 손을 흔들다

We watched the **waves**. 우리는 파도를 바라보았다.
She **waved** at us. 그녀는 우리에게 손을 흔들었다.

22 rise
[raiz]
rose-risen

동 1. (해·달이) 뜨다   2. 오르다, 상승하다

The sun **rises** in the east. 해는 동쪽에서 뜬다.
The price will **rise** again. 가격이 또 오를 것이다.

반의어 fall 떨어지다

23 shine
[ʃain]
shone-shone

동 빛나다, 반짝이다

The stars are **shining** brightly.
별들이 밝게 **빛나고** 있다.

교과서 필수 암기 숙어

24 be full of

~으로 가득 차다

The field **is full of** flowers. 그 들판은 꽃들로 가득 차 있다.

시험 POINT   '~으로 가득 차다'의 영어 표현

네모 안에서 알맞은 것을 고르시오.
The concert hall was full of / with people.
그 공연장은 사람들로 가득 차 있었다.

'~으로 가득 차다'는 be full of로 쓴다.

정답 of

25 these days

요즘

It rains a lot **these days**. 요즘 비가 많이 온다.

Daily Test

[01-25] 영어는 우리말로, 우리말은 영어로 쓰시오.

01	sky	13	사막
02	hole	14	자연
03	sun	15	강
04	jungle	16	땅, 지면
05	shine	17	나무, 목재
06	sea	18	언덕
07	sand	19	대양, 큰 바다
08	pond	20	들판, 밭, 경기장
09	stone	21	(해·달이) 뜨다, 오르다
10	fire	22	바위, 록 (음악)
11	soil	23	파도; 손을 흔들다
12	top		

24   be full of

25   요즘

STEP 2   제대로 적용하기

A
단어

그림을 보고, 보기에서 알맞은 단어를 골라 쓰시오.

> 보기   hill   wood   soil   wave

01 _____   02 _____   03 _____   04 _____

B
구

우리말 의미에 맞게 빈칸에 알맞은 말을 쓰시오.

01 태평양   the Pacific _____

02 동해   the East _____

03 야구장   a baseball _____

04 록 음악   _____ music

05 산꼭대기   the _____ of a mountain

C
문장

빈칸에 알맞은 말을 넣어 문장을 완성하시오.

01 There is a _____ in my sock. 내 양말에 구멍이 났다.

02 A huge _____ hit the boat. 거대한 파도가 보트를 덮쳤다.

03 The street was _____ of people. 그 거리는 사람들로 가득 차 있었다.

04 There is little water in the _____. 사막에는 물이 거의 없다.

05 How are you feeling _____ _____? 요즘 기분이 어떠세요?

동물 들으며 외우기

어휘력 UPGRADE

---

01 animal
[ǽnəməl]

명 동물, 짐승

Dogs, fish, and snakes are all **animals**.
개, 물고기, 뱀은 모두 **동물**이다.

---

02 wild
[waild]

형 야생의
└ 사람이 기르지 않고 산이나 들에서 자라는

Many **wild** animals live in the jungle.
많은 **야생** 동물들이 그 정글에 산다.

---

03 bear
[bɛər]

명 곰

Do **bears** really like honey?
곰은 정말 꿀을 좋아하나요?

➊ a polar **bear** 북극곰

'곰 인형'을 가리켜 '테디 베어(teddy bear)'라고 해요.

---

04 wolf
[wulf]
복수형 wolves

명 늑대

The story is about three pigs and a bad **wolf**.
그 이야기는 세 마리의 돼지와 나쁜 **늑대**에 관한 것이다.

---

05 elephant
[éləfənt]

명 코끼리

Elephants are the largest land animals.
코끼리는 가장 큰 육지 동물이다.

---

06 penguin
[péŋgwin]

명 펭귄

Penguins cannot fly. 펭귄은 날 수 없다.

---

07 giraffe
[dʒəræf]

몡 기린

Giraffes have very long necks.
기린은 목이 매우 길다.

08 deer
[diər]
복수형 deer

몡 사슴

Stop the car! A **deer** is crossing the road.
차 멈춰! **사슴** 한 마리가 도로를 건너고 있어.

dear(소중한)와 철자를 혼동하지 않도록 주의하세요.

09 sheep
[ʃiːp]
복수형 sheep

몡 양

There are a lot of **sheep** in the field.
들판에 **양**이 많다.

> 시험 POINT sheep의 복수형
>
> 우리말을 영어로 바르게 옮긴 것을 고르시오.
>
> 양 50마리
>
> ⓐ fifty sheep   ⓑ fifty sheeps

sheep은 단수형과 복수형이 같다.

정답 ⓐ

10 horse
[hɔːrs]

몡 말

Can you ride a **horse**? 너는 **말**을 탈 수 있니?

11 fish
[fiʃ]
복수형 fish

몡 물고기 동 낚시하다

We caught several **fish**. 우리는 **물고기** 몇 마리를 잡았다.

➕ go **fishing** 낚시하러 가다

fishing 몡 낚시

12 dolphin
[dάːlfin]

몡 돌고래

Dolphins are not fish. 돌고래는 물고기가 아니다.

13 shark
[ʃɑːrk]

몡 상어

The song "Baby **Shark**" is very popular with kids. '아기 **상어**' 노래는 아이들에게 매우 인기 있다.

14 **snake**
[sneik]

명 뱀

Some **snakes** are very dangerous.
어떤 **뱀**들은 매우 위험하다.

---

15 **mouse**
[maus]
복수형 mice

명 쥐

The cat caught a **mouse**. 고양이가 **쥐**를 잡았다.

컴퓨터의 '마우스'도 mouse라고 해요. 생김 새가 쥐와 비슷해서 붙여진 이름이에요.

시험 POINT mouse의 복수형

네모 안에서 알맞은 것을 고르시오.

Mouses / Mice usually come out at night.

쥐들은 보통 밤에 나온다.

mouse의 복수형은 mice이다.

정답 Mice

---

16 **tail**
[teil]

명 꼬리

Rabbits have short **tails**. 토끼는 **꼬리**가 짧다.

---

17 **wing**
[wiŋ]

명 날개

Penguins use their **wings** for swimming.
펭귄은 수영을 하는 데 **날개**를 사용한다.

새나 곤충의 날개뿐 아 니라 비행기의 날개도 wing이라고 해요.

---

18 **feather**
[féðər]

명 (새의) 깃털

The bird has colorful **feathers**.
그 새는 화려한 **깃털**을 가지고 있다.

---

19 **nest**
[nest]

명 둥지

There is a bird's **nest** in the tree.
나무에 새 **둥지**가 있다.

20 egg
[eg]

명 알, 달걀

There are three **eggs** in the nest.
둥지 안에 **알**이 세 개 있다.

➕ a fried **egg** 달걀 프라이

21 cage
[keidʒ]

명 새장, (동물의) **우리**

The bird is in the narrow **cage**.
새가 좁은 **새장** 안에 있다.

22 feed
[fiːd]
fed-fed

동 먹이를[음식을] **주다**

Do not **feed** the animals.
동물들에게 **먹이를 주지** 마시오.

23 bark
[bɑːrk]

동 짖다

My dog **barks** at strangers.
우리 개는 낯선 사람들에게 **짖는다**.

교과서 필수 암기 숙어 ....

24 how long

(시간이) **얼마나 오래,** (길이가) **얼마나 긴**

How long do dogs live? 개들은 **얼마나 오래** 사나요?
How long is the river? 그 강은 **얼마나 긴가요?**

25 be able to

~할 수 있다

Cats **are able to** jump high. 고양이는 높이 점프**할 수 있다.**

Daily Test

[01-25] 영어는 우리말로, 우리말은 영어로 쓰시오.

01	wild		13	곰	
02	fish		14	돌고래	
03	wing		15	(새의) 깃털	
04	egg		16	꼬리	
05	animal		17	기린	
06	cage		18	코끼리	
07	horse		19	쥐	
08	wolf		20	펭귄	
09	shark		21	짖다	
10	sheep		22	먹이를[음식을] 주다	
11	nest		23	사슴	
12	snake				

24　be able to

25　얼마나 오래, 얼마나 긴

제대로 적용하기

A
단어

주어진 명사의 복수형을 쓰시오.

01 mouse → _____   02 sheep → _____

03 wolf → _____   04 deer → _____

05 fish → _____

B
구

우리말 의미에 맞게 빈칸에 알맞은 말을 쓰시오.

01 야생 동물   a _____ animal

02 북극곰   a polar _____

03 짧은 꼬리   a short _____

04 새 둥지   a bird's _____

05 달걀 프라이   a fried _____

06 말을 타다   ride a _____

C
문장

빈칸에 알맞은 말을 넣어 문장을 완성하시오.

01 He loves to go _____. 그는 낚시하러 가는 것을 아주 좋아한다.

02 I _____ my dog twice a day. 나는 하루에 두 번 우리 개에게 먹이를 준다.

03 The dogs always _____ at me. 그 개들은 항상 나를 보면 짖는다.

04 Penguins are not _____ _____ fly. 펭귄은 날 수 없다.

05 _____ _____ will you stay there?
    너는 얼마나 오래 그곳에 머무를 거니?

식물과 곤충

들으며 외우기

01 tree
[tri:]

몡 나무

We slept under the **tree**. 우리는 그 **나무** 아래에서 잤다.

---

02 flower
[fláuər]

몡 꽃

Do not pick the **flowers**. 그 **꽃들**을 꺾지 마시오.

---

03 grow
[grou]
grew-grown

통 1. 자라다, 성장하다 2. 기르다, 재배하다

The tree **grew** very tall. 그 나무는 매우 크게 **자랐다**.

My grandfather **grows** corn.
우리 할아버지는 옥수수를 **재배하신다**.

---

04 plant
[plænt]

몡 식물 통 (식물을) 심다

Water the **plant** twice a week.
일주일에 두 번 그 **식물**에 물을 주세요.

I **plant** a tree every year. 나는 매년 나무 한 그루를 **심는다**.

➕ water a **plant** 식물에 물을 주다

---

05 fruit
[fru:t]

몡 과일

She ate fresh **fruit** for breakfast.
그녀는 아침으로 신선한 **과일**을 먹었다.

---

06 strawberry
[strɔ́:bèri]

몡 딸기

We picked a lot of **strawberries**.
우리는 많은 **딸기**를 땄다.

07 vegetable
[védʒtəbl]

圐 채소

Is a tomato a fruit or a **vegetable**?
토마토는 과일인가요 **채소**인가요?

○ fruit and **vegetables** 과일과 채소

---

08 bean
[biːn]

圐 콩

I hate **beans**. 나는 **콩**을 아주 싫어한다.

---

09 potato
[pətéitou]

圐 감자

She boiled the **potatoes**. 그녀는 **감자**를 삶았다.

---

10 cabbage
[kǽbidʒ]

圐 양배추

Cabbage is a healthy vegetable.
양배추는 몸에 좋은 채소이다.

cabbage에서 두 번째 a의 발음과 철자에 주의하세요.

---

11 nut
[nʌt]

도토리, 밤, 호두 등과 같이 껍데기가 단단한 열매

圐 견과

My hamster eats fruit and **nuts**.
우리 햄스터는 과일과 **견과**를 먹는다.

○ a peanut 땅콩

---

12 grass
[græs]

圐 풀, 잔디(밭)

We sat on the **grass**. 우리는 **잔디밭**에 앉았다.

 시험 POINT **grass vs. glass**

각 네모 안에서 알맞은 것을 고르시오.
1. the green | grass / glass | 푸른 잔디
2. a | grass / glass | of water 물 한 잔

grass: 풀, 잔디(밭)
glass: 유리, 유리잔

정답 1. grass
2. glass

13 **seed**
[siːd]

명 씨, 씨앗

I planted the **seeds** in the soil.
나는 흙에 **씨앗**을 심었다.

---

14 **leaf**
[liːf]
복수형 leaves

명 나뭇잎

A **leaf** is falling from a tree.
나뭇잎이 나무에서 떨어지고 있다.

➕ fallen **leaves** 낙엽들

> 🎈 시험 POINT   **leaf의 복수형**
>
> 네모 안에서 알맞은 것을 고르시오.
> The | leafs / leaves | turn red in the fall.
> 그 나뭇잎들은 가을에 붉어진다.

leaf의 복수형은
leaves이다.

정답 leaves

---

15 **stick**
[stik]

명 1. 나뭇가지 2. 막대기, 스틱

I drew a circle in the sand with a **stick**.
나는 **나뭇가지**로 모래 위에 원을 그렸다.

➕ a walking **stick** 지팡이

---

16 **root**
[ruːt]

명 뿌리

Roots grow under the ground.
뿌리는 땅 밑에서 자란다.

---

17 **insect**
[ínsekt]

명 곤충

Insects have six legs. 곤충은 다리가 여섯 개 있다.

---

18 **bug**
[bʌg]

명 벌레, 작은 곤충

There's a **bug** on your shoulder.
네 어깨 위에 **벌레**가 있어.

insect 중에서도 크기가
작은 것을 가리켜 bug라
고 해요.

¹⁹ **bee**
[bi:]

명 벌

How do **bees** make honey? 벌은 어떻게 꿀을 만드나요?

²⁰ **fly**
[flai]
flew-flown

동 1. (새·곤충이) **날다** 2. **비행하다** 명 **파리**

The bird **flew** away. 그 새는 **날아가** 버렸다.

We're **flying** over the ocean.
우리는 바다 위를 **날고** 있다.

There's a **fly** in this room. 이 방 안에 **파리**가 있어.

²¹ **butterfly**
[bʌ́tərflài]

명 나비

A **butterfly** flew into the garden.
나비 한 마리가 정원으로 날아 들어왔다.

²² **spider**
[spáidər]

명 거미

Spiders are not insects. **거미**는 곤충이 아니다.

²³ **mosquito**
[məskí:tou]

명 모기

Close the window. **Mosquitoes** are getting in.
창문 닫아. **모기**가 들어오고 있어.

교과서 필수 암기 숙어

²⁴ **one by one**

하나씩, 한 명씩

They entered the room **one by one**.
그들은 **한 명씩** 그 방에 들어갔다.

²⁵ **such as**

~와 같은

Spiders eat insects **such as** ants, flies, and mosquitoes.
거미는 개미, 파리, 모기**와 같은** 곤충을 먹는다.

Daily Test

[01-25] 영어는 우리말로, 우리말은 영어로 쓰시오.

01	nut		13	곤충
02	flower		14	양배추
03	bean		15	채소
04	root		16	감자
05	tree		17	식물; (식물을) 심다
06	bug		18	풀, 잔디(밭)
07	leaf		19	나뭇가지, 막대기
08	bee		20	과일
09	strawberry		21	나비
10	fly		22	자라다, 기르다
11	seed		23	거미
12	mosquito			

24　such as

25　하나씩, 한 명씩

STEP 2 제대로 적용하기

A
단어

그림을 보고, 보기 에서 알맞은 단어를 골라 쓰시오.

보기   root   seed   leaf   fruit

01 _____

02 _____

03 _____

04 _____

B
구

우리말 의미에 맞게 빈칸에 알맞은 말을 쓰시오.

01 지팡이   a walking _____

02 낙엽들   fallen _____

03 푸른 잔디   the green _____

C
문장

빈칸에 알맞은 말을 넣어 문장을 완성하시오.

01 The butterfly _____ away. 그 나비는 날아가 버렸다.

02 They _____ potatoes in their field. 그들은 밭에서 감자를 재배한다.

03 We _____ some seeds in our garden.
우리는 정원에 씨앗을 조금 심었다.

04 I solved the problems _____ by _____.
나는 그 문제들을 하나씩 풀었다.

05 She likes flowers _____ _____ tulips and roses.
그녀는 튤립과 장미와 같은 꽃을 좋아한다.

DAY 39 날씨와 계절

듣으며 외우기

| 어휘력 UPGRADE |

01 weather
[wéðər]
명 날씨
How is the **weather** today? 오늘 날씨 어때요?
➕ a **weather** report 일기 예보

02 sunny
[sʌ́ni]
형 (날씨가) 맑은, 화창한
It's **sunny** outside. 밖이 화창하다.

sun 명 해

03 cloud
[klaud]
명 구름
A **cloud** covered the sun. 구름이 해를 가렸다.
➕ a dark **cloud** 먹구름

cloudy
형 구름 낀, 흐린

04 wind
[wind]
명 바람
The **wind** is so strong today. 오늘 바람이 아주 강하다.

windy
형 바람이 많이 부는

05 rain
[rein]
명 비 동 비가 오다
When will the **rain** stop? 비가 언제 그칠까요?
It **rained** all day. 하루 종일 비가 왔다.
➕ heavy **rain** 폭우(많이 내리는 비)

rainy
형 비가 많이 내리는

06 snow
[snou]
명 눈 동 눈이 오다
Snow was falling heavily. 눈이 아주 많이 내리고 있었다.
Look! It's **snowing**! 봐! 눈이 오고 있어!
➕ heavy **snow** 폭설(많이 내리는 눈)

snowy
형 눈이 많이 내리는

07 foggy
[fɔ́:gi]

형 안개가 낀

It was **foggy** this morning. 오늘 아침에는 **안개가 끼었다.**

08 storm
[stɔːrm]

명 폭풍

Some trees fell down in the **storm**.
나무 몇 그루가 **폭풍**에 쓰러졌다.

09 thunder
[θʌ́ndər]

명 천둥

My little brother is afraid of **thunder**.
내 남동생은 **천둥**을 무서워한다.

'번개'는 lightning이라고 해요.

10 umbrella
[ʌmbrélə]

명 우산

I left my **umbrella** on the bus.
나는 내 **우산**을 버스에 두고 내렸다.

> **시험 POINT** 혼동하기 쉬운 a vs. an
>
> 네모 안에서 알맞은 것을 고르시오.
> Did you bring a umbrella / an umbrella ?
> 너는 우산을 가져왔니?

umbrella는 발음이 모음으로 시작되므로 앞에 an을 써야 한다.

정답 an umbrella

11 warm
[wɔːrm]

형 따뜻한

I took a bath in **warm** water.
나는 **따뜻한** 물에 목욕을 했다.

12 cool
[kuːl]

형 1. 시원한, 서늘한 2. 멋진

The weather is **cool** these days. 요즘 날씨가 **시원하다.**
You look so **cool**. 너 아주 **멋져** 보여.

13 clear
[kliər]

형 맑은, 투명한

The sky is **clear** and blue. 하늘이 **맑고** 푸르다.

---

14 perfect
[pə́ːrfikt]

형 완벽한

The weather is **perfect** for swimming.
날씨가 수영하기에 **완벽하다**.

perfectly
부 완전히, 완벽하게

---

15 sunlight
[sʌ́nlàit]

명 햇빛

My house gets a lot of **sunlight**.
우리 집은 **햇빛**이 많이 들어온다.

---

16 rainbow
[réinbòu]

명 무지개

You can see a **rainbow** after the rain.
비가 온 후에 **무지개**를 볼 수 있다.

---

17 heat
[hiːt]

명 열, 더위 동 (음식 등을) 데우다

I felt the **heat** of the sun. 나는 태양의 **열기**를 느꼈다.
I **heated** up some pizza. 나는 피자를 조금 **데웠다**.

heater
명 난방 장치, 히터

hit(치다, 때리다)와 철
자를 혼동하지 않도록 주
의하세요.

---

18 blow
[blou]
blew-blown

동 1. (바람이) 불다 2. (입으로) 불다

The wind is **blowing** hard. 바람이 세게 **불고** 있다.
A girl is **blowing** up a balloon.
한 여자아이가 풍선을 **불고** 있다.

---

19 freeze
[friːz]
froze-frozen

동 얼다, 얼리다

The pond **froze** in the cold weather.
그 연못은 추운 날씨에 **얼었다**.

애니메이션 '겨울왕국'
의 원래 제목은 'Frozen
(얼어붙은)'이에요.

20 spring
[spriŋ]

명 1. 봄 2. 샘 3. 용수철

The garden is beautiful in **spring**.
그 정원은 **봄**에 아름답다.

➕ a hot **spring** 온천

---

21 autumn
[ɔ́:təm]

명 가을

Maple leaves turn red in **autumn**.
단풍잎은 **가을**에 붉어진다.

유의어 fall

---

22 season
[síːzn]

명 계절

What is your favorite **season**?
당신이 가장 좋아하는 **계절**은 무엇인가요?

'여름'은 summer, '겨울'은 winter예요.

> 💡 시험 POINT **season의 의미**
>
> 〈보기〉에 주어진 말을 모두 포괄하는 단어를 고르시오.
>
> 보기 spring summer autumn winter
>
> ⓐ plant ⓑ weather ⓒ season

봄, 여름, 가을, 겨울을 모두 포괄하는 단어는 '계절'이다.
ⓐ 식물 ⓑ 날씨

정답 ⓒ

---

23 maybe
[méibi:]

부 아마도, 어쩌면

Maybe it will rain tomorrow. 아마도 내일 비가 올 것이다.

---

24 go on

계속되다

This hot weather will **go on** for a while.
이 더운 날씨는 당분간 **계속될** 것입니다.

➕ What's **going on**? 무슨 일이야?

---

25 be covered with

~으로 덮여 있다

The car **is covered with** snow.
그 자동차는 눈으로 덮여 있다.

Daily Test

[01-25] 영어는 우리말로, 우리말은 영어로 쓰시오.

01	sunny		13	바람	
02	snow		14	(바람이) 불다	
03	cloud		15	시원한, 서늘한, 멋진	
04	foggy		16	봄, 샘, 용수철	
05	weather		17	우산	
06	warm		18	무지개	
07	heat		19	완벽한	
08	sunlight		20	천둥	
09	freeze		21	비; 비가 오다	
10	clear		22	계절	
11	maybe		23	폭풍	
12	autumn				

24 go on

25 ~으로 덮여있다

STEP 2   제대로 적용하기

A
단어

주어진 단어를 의미에 맞게 바꿔 쓰시오.

01   fog   →   안개가 낀   _____

02   wind   →   바람이 많이 부는   _____

03   snow   →   눈이 많이 내리는   _____

04   sun   →   맑은, 화창한   _____

05   cloud   →   구름 낀, 흐린   _____

06   heat   →   난방 장치   _____

B
구

우리말 의미에 맞게 빈칸에 알맞은 말을 쓰시오.

01   폭우   heavy _____

02   봄에   in _____

03   일기 예보   a _____ report

04   먹구름   a dark _____

05   비가 온 후   after the _____

C
문장

빈칸에 알맞은 말을 넣어 문장을 완성하시오.

01   Tomorrow will be _____ and sunny.   내일은 따뜻하고 화창할 것입니다.

02   My favorite _____ is summer.   내가 가장 좋아하는 계절은 여름이다.

03   The party _____ _____ all night.   파티는 밤새 계속되었다.

04   The floor is _____ _____ a carpet.   그 바닥은 카펫으로 덮여 있다.

05   A terrible _____ is coming to the island.
     끔찍한 폭풍이 그 섬에 오고 있다.

세계와 환경

들으며 외우기

어휘력 UPGRADE

01 world
[wəːrld]

명 세계, 세상

I want to travel around the **world**.
나는 세계 일주를 하고 싶다.

➕ all over the **world** 전 세계에

word(단어, 낱말)와 철자를 혼동하지 않도록 주의하세요.

---

02 country
[kʌ́ntri]

명 1. 나라, 국가 2. 시골

Russia is the largest **country** in the world.
러시아는 세계에서 가장 큰 **나라**이다.

I grew up in the **country**. 나는 **시골**에서 자랐다.

---

03 flag
[flæg]

명 기, 깃발

The **flags** are waving in the wind.
깃발들이 바람에 흔들리고 있다.

---

04 earth
[əːrθ]

명 1. 지구 2. 땅, 육지

The **earth** goes around the sun.
지구는 태양 주위를 돈다.

The **earth** is shaking. **땅**이 흔들리고 있다.

earth가 '지구'를 의미할 때는 Earth 또는 the Earth처럼 첫 글자를 대문자로 쓰기도 해요.

---

05 space
[speis]

명 1. 우주 2. 공간, 자리

My dream is to travel into **space**.
내 꿈은 **우주**로 여행하는 것이다.

There is not enough **space** for the table.
탁자를 놓을 충분한 **공간**이 없다.

---

06 air
[ɛər]

명 공기, 대기

I want to get some fresh **air**.
나는 상쾌한 **공기**를 마시고 싶다.

07 moon
[muːn]

명 달

The **moon** is very bright tonight.
오늘 밤 **달**이 매우 밝다.

---

08 star
[staːr]

명 1. 별 2. 스타

The **stars** are shining in the night sky.
밤하늘에 **별들**이 빛나고 있다.

➕ a movie **star** 영화배우

---

09 planet
[plǽnit]

명 행성

The earth is the third **planet** from the sun.
지구는 태양으로부터 세 번째 **행성**이다.

---

10 rocket
[rάːkit]

명 로켓

Rockets travel faster than sound.
로켓은 소리보다 더 빨리 이동한다.

---

11 power
[pάuər]

명 1. 힘, 권력 2. 에너지

We have the **power** to change our lives.
우리는 우리의 삶을 바꿀 **힘**이 있다.

➕ wind **power** 풍력

powerful
형 강력한, 영향력 있는

---

12 save
[seiv]

동 1. (위험에서) **구하다** 2. (돈을) **모으다, 저축하다**

Save the earth. 지구를 구해 주세요.
I'm **saving** for a new computer.
나는 새 컴퓨터를 사려고 **저축하고** 있다.

save는 '안전하게 지키다'라는 의미를 가진 단어예요.
'(위험으로부터 지켜서) 구하다', '(돈을 쓰지 않고 지켜서) 저축하다'로 암기해 보세요.

> 🎈 **시험 POINT** **save의 의미**
>
> 밑줄 친 단어의 의미를 골라 기호를 쓰시오.
>
> [보기] ⓐ 구했다 ⓑ 저축했다
>
> 1. He <u>saved</u> my life. _____
> 2. He <u>saved</u> enough money. _____

1. 그가 내 목숨을 구했다.
2. 그는 충분한 돈을 저축했다.

[정답] 1. ⓐ 2. ⓑ

¹³ **serious**
[síəriəs]

형 1. 심각한   2. 진지한, 진심인

She made a **serious** mistake.
그녀는 **심각한** 실수를 저질렀다.

Are you **serious**? 너 **진심이야**?

---

¹⁴ **problem**
[prá:bləm]

명 문제

How can we solve the **problem**?
우리가 어떻게 그 **문제**를 해결할 수 있나요?

---

¹⁵ **plastic**
[pléstik]

명 플라스틱 형 플라스틱의

This bottle is made of **plastic**.
이 병은 **플라스틱**으로 만들어져 있다.

● a **plastic** bag 비닐봉지

우리는 보통 '비닐'과 '플라스틱'을 구별해서 부르지만 영어로 '비닐봉지'는 a plastic bag이라고 해요.

---

¹⁶ **factory**
[féktəri]

명 공장

They work at the **factory**. 그들은 그 **공장**에서 일한다.

---

¹⁷ **trash**
[træʃ]

명 쓰레기

Will you take out the **trash**?
쓰레기 좀 내다 버려 줄래?

유의어 garbage

---

¹⁸ **recycle**
[ri:sáikl]

동 재활용하다

We should **recycle** paper.
우리는 종이를 **재활용해야** 한다.

recycling 명 재활용

---

¹⁹ **gas**
[gæs]

명 1. 기체, 가스   2. 휘발유

Jupiter is made of **gas**. 목성은 **기체**로 되어 있다.
We stopped at a **gas** station. 우리는 **주유소**에 멈췄다.

● a **gas** station 주유소

20 environment
[inváiərənmənt]

명 환경

Plastic bags are bad for the **environment**.
비닐봉지는 **환경**에 나쁘다.

형 환경의

21 protect
[prətékt]

동 보호하다

We need to **protect** the environment.
우리는 환경을 **보호해야** 한다.

protection 명 보호

22 volunteer
[vὰ:ləntíər]

명 자원자, 자원봉사자

Are there any **volunteers**? 자원하실 분 있나요?

➕ do **volunteer** work 자원봉사 활동을 하다

교과서 필수 암기 숙어

23 be made of

~으로 만들어지다

The book **is made of** recycled paper.
그 책은 재활용 종이로 **만들어져 있다**.

24 throw away

~을 버리다

People **throw away** a lot of food every day.
사람들은 매일 많은 음식을 **버린다**.

25 because of

~ 때문에

I couldn't sleep **because of** the noise.
나는 그 소음 **때문에** 잠을 잘 수 없었다.

주의 because 뒤에는 문장이 오고, because of 뒤에는 단어나 구가 와요.

💡 시험POINT **because vs. because of**

네모 안에서 알맞은 것을 고르시오.
We stayed home because / because of the storm.
우리는 폭풍 때문에 집에 머물렀다.

because와 because of의 뜻은 '~ 때문에'로 같지만, 뒤에 오는 말의 형태가 다르므로 구분해서 써야 한다.

정답 because of

Daily Test

[01-25] 영어는 우리말로, 우리말은 영어로 쓰시오.

01 star

02 trash

03 rocket

04 flag

05 problem

06 air

07 power

08 moon

09 gas

10 factory

11 plastic

12 세계, 세상

13 구하다, 저축하다

14 행성

15 나라, 국가, 시골

16 재활용하다

17 우주, 공간, 자리

18 환경

19 보호하다

20 심각한, 진지한

21 지구, 땅, 육지

22 자원자, 자원봉사자

23 because of

24 be made of

25 ~을 버리다

STEP 2 제대로 적용하기

A
단어

주어진 단어를 의미에 맞게 바꿔 쓰시오.

01 recycle → 재활용 _____

02 protect → 보호 _____

03 environment → 환경의 _____

04 power → 강력한, 영향력 있는 _____

B
구

우리말 의미에 맞게 빈칸에 알맞은 말을 쓰시오.

01 비닐봉지 a _____ bag

02 주유소 a _____ station

03 풍력 wind _____

04 전 세계에 all over the _____

05 자원봉사 활동을 하다 do _____ work

06 환경을 보호하다 protect the _____

C
문장

빈칸에 알맞은 말을 넣어 문장을 완성하시오.

01 We have a _____ problem. 우리에게 심각한 문제가 있다.

02 How can we _____ the earth? 우리가 어떻게 지구를 구할 수 있을까요?

03 I didn't go out _____ _____ the rain.
나는 비 때문에 나가지 않았다.

04 You should _____ _____ those old socks.
너는 그 낡은 양말을 버려야 한다.

05 This spoon is _____ _____ plastic.
이 숟가락은 플라스틱으로 만들어져 있다.

01 명사와 그 복수형이 잘못 짝지어진 것은? 🔗 DAY 37, 38 시험 POINT

① deer – deer   ② wolf – wolves   ③ potato – potatoes

④ leaf – leaves   ⑤ sheep – sheeps

02 짝지어진 단어의 관계가 어색한 것은? 🔗 DAY 36 시험 POINT

① animal : elephant   ② plant : grass   ③ insect : butterfly

④ nature : dessert   ⑤ vegetable : cabbage

03 우리말과 일치하도록 할 때 빈칸에 들어갈 말이 순서대로 짝지어진 것은?

- 하늘이 먹구름으로 덮여 있다.
  → The sky is covered _____ dark clouds.
- 어떤 동전들은 은으로 만들어진다.
  → Some coins are made _____ silver.

① of – of   ② of – with   ③ with – of

④ with – with   ⑤ from – with

[04-05] 문맥상 빈칸에 들어갈 말로 알맞은 것을 고르시오.

04

_____ is my favorite season. It comes after summer.

① Weather   ② Spring   ③ Sunny

④ Autumn   ⑤ Planet

05

She often makes salad with fresh fruit _____ strawberries, oranges, and grapes.

① able to   ② because of   ③ such as
④ one by one   ⑤ these days

06 밑줄 친 save의 뜻이 나머지 넷과 다른 것은?   DAY 40 시험 POINT

① The doctor will save her life.
② We should save the dolphins.
③ How can we save the earth?
④ You need to save more money.
⑤ Wearing a mask can save your life.

07 각 네모 (A)와 (B)에서 알맞은 말을 골라 쓰시오.   DAY 40 시험 POINT

서술형

- The sun (A) | rised / rose | at six this morning.
- He moved to Busan (B) | because / because of | his new job.

(A) _____   (B) _____

08 우리말과 일치하도록 〈조건〉에 맞게 문장을 완성하시오.   DAY 36 시험 POINT

서술형

그 우편함은 편지들로 가득 차 있다. (full, letters)

조건   1. 주어진 단어를 모두 사용하되, 필요한 말은 추가할 것
       2. 현재시제로 쓸 것

→ The mailbox _____.

주제별 기초 영단어

❶ 기수와 서수

기수 (일, 이, 삼, ...)		서수 (첫째, 둘째, 셋째, ...)	
1	one	1st	first
2	two	2nd	second
3	three	3rd	third
4	four	4th	fourth
5	five	5th	fifth
6	six	6th	sixth
7	seven	7th	seventh
8	eight	8th	eighth
9	nine	9th	ninth
10	ten	10th	tenth
11	eleven	11th	eleventh
12	twelve	12th	twelfth
13	thirteen	13th	thirteenth
14	fourteen	14th	fourteenth
15	fifteen	15th	fifteenth
16	sixteen	16th	sixteenth
17	seventeen	17th	seventeenth
18	eighteen	18th	eighteenth
19	nineteen	19th	nineteenth
20	twenty	20th	twentieth

기수		서수	
21	twenty-one	21st	twenty-first
22	twenty-two	22nd	twenty-second
23	twenty-three	23rd	twenty-third
30	thirty	30th	thirtieth
40	forty	40th	fortieth
50	fifty	50th	fiftieth
60	sixty	60th	sixtieth
70	seventy	70th	seventieth
80	eighty	80th	eightieth
90	ninety	90th	ninetieth
100	one hundred	100th	one hundredth
0	zero / oh		

숫자 읽기

일반 숫자 세 자리씩 끊어 읽는다.
725 seven hundred (and) twenty-five   **10,300** ten thousand three hundred

연도 보통 두 자리씩 끊어 읽는다.
2019 twenty nineteen / two thousand nineteen

소수 소수점은 point로 읽고, 소수점 이하는 한 자리씩 읽는다.
3.14 three point one four   **13.52** thirteen point five two

❷ 나라와 세계

나라, 국민, 언어, 대륙, 대양의 이름은 대문자로 시작해요.

나라 · 국민				주요 언어	
Korea	한국	Korean	한국인	Korean	한국어
the United States [the U.S.] / America	미국	American	미국인		
the United Kingdom [the U.K.] / England	영국	English	영국인	English	영어
Canada	캐나다	Canadian	캐나다인		
Australia	호주	Australian	호주인		
China	중국	Chinese	중국인	Chinese	중국어
Japan	일본	Japanese	일본인	Japanese	일본어
Russia	러시아	Russian	러시아인	Russian	러시아어
France	프랑스	French	프랑스인	French	프랑스어
Italy	이탈리아	Italian	이탈리아인	Italian	이탈리아어
Germany	독일	German	독일인	German	독일어
Spain	스페인	Spanish	스페인인	Spanish	스페인어
the Netherlands	네덜란드	Dutch	네덜란드인	Dutch	네덜란드어
Vietnam	베트남	Vietnamese	베트남인	Vietnamese	베트남어

세계			
Asia	아시아	Europe	유럽
Africa	아프리카	the North Pole	북극
Australia	오스트레일리아	the South Pole	남극
North America	북아메리카	the Pacific (Ocean)	태평양
South America	남아메리카	the Atlantic (Ocean)	대서양

❸ 요일과 월

> 요일과 월은 대문자로 시작해요.

요일		월			
Monday [Mon.]	월요일	January [Jan.]	1월	July [Jul.]	7월
Tuesday [Tue.]	화요일	February [Feb.]	2월	August [Aug.]	8월
Wednesday [Wed.]	수요일	March [Mar.]	3월	September [Sep.]	9월
Thursday [Thurs.]	목요일	April [Apr.]	4월	October [Oct.]	10월
Friday [Fri.]	금요일	May	5월	November [Nov.]	11월
Saturday [Sat.]	토요일	June [Jun.]	6월	December [Dec.]	12월
Sunday [Sun.]	일요일				

날짜 표현

보통 '요일, 월-일, 연도' 순으로 쓰며, 일은 기수나 서수 모두 쓸 수 있다.

March 10, 2015   2015년 3월 10일
Thursday, May 25th, 2021   2021년 5월 25일 목요일

❹ 단위

화폐		거리 · 길이 · 무게	
won	원(₩)	kilometer [km]	킬로미터
dollar	달러($)	meter [m]	미터
cent	센트(¢)	centimeter [cm]	센티미터
euro	유로(€)	gram [g]	그램

금액 읽기

$10.50   ten dollars (and) fifty cents / ten fifty
₩5,000 five thousand won

❺ 색상

red	빨간색	white	흰색
orange	주황색	gray / grey	회색
yellow	노란색	black	검은색
green	초록색	pink	분홍색
blue	파란색	brown	갈색
navy (blue)	남색	gold	금색
purple	보라색	silver	은색

❻ 과목명

Korean	국어	social studies	사회
English	영어	PE [Physical Education]	체육
math [mathematics]	수학	music	음악
science	과학	art	미술

❼ 의문사

what	무엇	why	왜
who	누구, 누가	whose	누구의, 누구의 것
when	언제	how	어떻게
where	어디서		

❽ 호칭

Mr.	(남자의 성·이름 앞에) ~님, ~씨	sir	(남성을 정중히 부르는 말) 손님
Ms.	(여성의 성·이름 앞에) ~님, ~씨	ma'am	(여성을 정중히 부르는 말) 손님, 부인

• Ms.는 미혼 여성(Miss)과 기혼 여성(Mrs.)을 구별하지 않고 사용하는 말이에요.

ANSWERS

PART 1

DAY 01 일상

STEP 1

01 밤, 야간 02 거울 03 바쁜 04 시계
05 습관, 버릇 06 서두르다 07 정오
08 편히 쉬다, 긴장을 풀다 09 저녁
10 좋은, 멋진 11 (잠을) 자다 12 씻다
13 afternoon 14 study 15 diary
16 day 17 brush 18 morning
19 room 20 play 21 home 22 every
23 shower 24 (잠자리에서) 일어나다
25 go to bed

STEP 2

A 01 played   02 studied
   03 hurried   04 slept

B 01 morning   02 evening
   03 night   04 habit
   05 diary   06 home

C 01 brush   02 play
   03 busy   04 get up
   05 every day   06 go to bed

DAY 02 가족

STEP 1

01 방문하다, 찾아가다 02 아버지 03 애완동물
04 삼촌, 아저씨 05 ~와 결혼하다 06 또한, ~도
07 친척 08 아내, 부인 09 아들 10 남자 형제
(형, 오빠, 남동생) 11 어머니 12 사촌
13 name 14 dear 15 daughter
16 twin 17 sister 18 parent
19 welcome 20 husband 21 family
22 aunt 23 grandparent
24 즐거운 시간을 보내다 25 take care of

STEP 2

A 01 mother   02 uncle
   03 sister   04 brother
   05 cousin

B 01 twin   02 dear
   03 name

C 01 Welcome   02 daughter
   03 take care   04 good time

DAY 03 의복

STEP 1

01 (챙이 둥글게 달린) 모자 02 바지
03 가방 04 패션, 의류업 05 스웨터
06 넥타이; 매다, 묶다 07 주머니
08 장갑 (한 짝) 09 입고[신고/쓰고] 있다
10 양말 (한 짝) 11 제복, 유니폼
12 드레스, 원피스 13 clothes 14 jacket
15 design 16 pair 17 shirt 18 shoe
19 belt 20 jeans 21 skirt 22 cap
23 scarf 24 ~을 입다[신다/쓰다]
25 take off

STEP 2

A 01 shoes   02 pants
   03 gloves

B 01 uniform   02 belt
   03 pair   04 clothes
   05 cap

C 01 wear   02 put on
   03 tie   04 take off
   05 shirt, jeans

STEP 1

01 숟가락 02 저녁 식사 03 고기, 육류
04 달콤한, 단; 단것, 사탕 05 소고기
06 준비하다 07 (음료) 차 08 아주 맛있는
09 먹다 10 점심 식사 11 매운, 매콤한
12 칼, 나이프 13 breakfast 14 fork
15 pork 16 water 17 food 18 bread
19 drink 20 salty 21 chicken 22 rice
23 snack 24 외식하다 25 set the table

STEP 2

A   01 ate   02 drank
     03 prepared

B   01 tea   02 drink
     03 lunch   04 spicy
     05 breakfast   06 chicken

C   01 bread   02 eat out
     03 delicious   04 water
     05 set the table

STEP 1

01 만들다 02 놓다, 두다 03 고르다, 선택하다,
(꽃을) 꺾다, (과일을) 따다 04 끝내다, 마치다
05 가다 06 읽다 07 시작하다 08 행동하다,
연기하다 09 가지고 있다, 먹다, 마시다
10 나르다, 가지고 다니다 11 오다 12 write
13 use 14 end 15 stop 16 try
17 open 18 close 19 keep
20 cover 21 take 22 bring
23 ~을 집어 들다, ~을 차로 데리러 가다
24 (~에) 잠시 들르다 25 line up

STEP 2

A   01 went   02 came
     03 made   04 put
     05 read   06 wrote
     07 took   08 brought

B   01 try   02 open
     03 stop   04 close

C   01 have   02 pick
     03 kept   04 stop
     05 line

내신대비 어휘 Test   pp. 40~41

01 ③ 02 ④ 03 ② 04 ① 05 ⑤
06 ⑤ 07 (A) gloves (B) bread
08 has breakfast

해석

01 ① 아들 ② 딸 ③ 집, 가정; 집에, 집으로
     ④ 부모 (중 한 사람) ⑤ 조부모 (중 한 사람)

02 ① 먹다 – 먹었다 ② 놓다 – 놓았다
     ③ 입다 – 입었다 ④ 읽다 – 읽었다 (read)
     ⑤ 공부하다 – 공부했다

03 • 나는 야구를 하는 것을 좋아한다.
     • 밤에 피아노를 치지 마라.
     ① 방문하다, 찾아가다 ② 놀다, 경기하다, 연주하다
     ③ 마시다 ④ 만들다 ⑤ 나르다, 가지고 다니다

04 • 코트를 입어라.
     • 그녀는 집에서 아이들을 돌보았다.

05 다섯 장의 카드가 있다. 너는 한 장을 골라야 한다.
     ① 노력하다, 해보다 ② 덮다, 가리다
     ③ 끝내다, 마치다 ④ 준비하다 ⑤ 고르다, 선택하다

06 ① 지금 집에 가자.
     ② 그는 나의 쌍둥이 남동생이다.
     ③ 그녀는 차 한 잔을 마셨다.
     ④ 나는 매주 책 한 권을 읽는다.
     ⑤ 그는 Jane과 결혼할 것이다. (marry Jane)

07 • 그녀는 장갑 한 켤레를 샀다.
     • 나는 빵을 조금 구웠다.

PART 2

STEP 1

01 여성분, 숙녀 02 사람들 03 모이다, 모으다
04 천사 05 (성인) 남자 06 여자아이, 소녀
07 회원, 구성원 08 (개개의) 사람, 개인
09 주인, 소유주 10 왕 11 왕자 12 boy
13 woman 14 each 15 leader
16 queen 17 gentleman 18 baby
19 princess 20 group 21 neighbor
22 master 23 ~ 출신이다, ~에서 오다
24 집으로 가는 길에[도중에] 25 each other

STEP 2

A 01 men   02 women
   03 gentlemen   04 people

B 01 girl   02 member
   03 leader   04 neighbor
   05 ladies   06 owner

C 01 prince   02 from
   03 each other   04 group
   05 my way

STEP 1

01 앉다 02 (발로) 차다 03 짓다, 건설하다
04 달리다 05 서다 06 잡고[들고] 있다
07 떨어지다, 넘어지다; 가을 08 잡다, 잡아타다
09 흔들리다, 흔들다 10 오르다, 올라가다
11 떨어뜨리다, 떨어지다; (액체) 방울
12 움직이다, 옮기다, 이사하다 13 throw
14 walk 15 push 16 pull 17 touch
18 hit 19 quickly 20 turn 21 point
22 break 23 jump 24 ~을 뒤쫓다
[쫓아다니다] 25 get out of

STEP 2

A 01 ran   02 broke
   03 threw   04 caught
   05 shook   06 fell
   07 hit   08 touched

B 01 sit   02 stand
   03 turn   04 break
   05 climb   06 drop

C 01 walk   02 Get
   03 move   04 catch
   05 run

STEP 1

01 보다 02 팔 03 다리 04 이, 치아, 이빨
05 입술 06 듣다, 들리다 07 발가락 08 발
09 눈 10 볼, 뺨 11 목 12 귀 13 mouth
14 hand 15 face 16 head
17 shoulder 18 knee 19 finger
20 nose 21 body 22 voice 23 smell
24 ~을 도와주다 25 shake hands with

STEP 2

A 01 heard   02 smelled
   03 saw

B 01 foot   02 hand
   03 body   04 face, face
   05 head, toe

C 01 eyes   02 head
   03 teeth   04 give
   05 hear   06 Shake

STEP 1

01 좋은, 훌륭한 **02** 기쁨 **03** 외로운, 고독한
04 느끼다, ~한 기분이 들다 **05** (소리 내어) 웃다
06 행복한 **07** 긴장한, 초조한 **08** 아주 싫어하다,
미워하다; 미움, 증오 **09** 기쁜, 반가운
10 걱정하는 **11** 놀란 **12** cry **13** love
14 sorry **15** sad **16** bored **17** excited
18 smile **19** upset **20** angry **21** heart
22 thank **23** ~하고 싶다 **24** ~을 무서워하다
[두려워하다] **25** be interested in

STEP 2

A **01** lovely **02** feeling
  03 joyful **04** worried

B **01** love **02** smile
  03 happy **04** sad
  05 upset

C **01** afraid **02** surprised
  03 like **04** interested
  05 angry

STEP 1

01 아픈, 병든 **02** 졸린 **03** 피곤한, 지친
04 배고픈 **05** (잠에서) 깨다, 깨우다
06 괜찮은, 좋은 **07** 죽은 **08** 목욕 **09** 약
10 가득 찬, 배부른 **11** 콧물 **12** health
13 strong **14** pain **15** cough **16** fever
17 weight **18** hurt **19** thirsty
20 headache **21** throat **22** weak
23 병원에 가다, 의사의 진찰을 받다
24 병이 낫다 **25** have a cold

STEP 2

A **01** strength **02** healthy
  03 sleepy **04** weight

B **01** headache **02** medicine
  03 cough **04** bath
  05 tired **06** get

C **01** cold **02** see
  03 fever **04** full
  05 throat, runny

내신 대비 어휘 Test
pp.74~75

01 ⑤ **02** ④ **03** ④ **04** ③ **05** ④
06 (A) sad (B) hurt **07** feel like going

해석

01 ① 서다 – 섰다 ② 부수다 – 부쉈다
  ③ 던지다 – 던졌다 ④ 잡다 – 잡았다
  ⑤ 흔들다 – 흔들었다 (shook)

02 나는 _____이 난다[있다].
  ① 기침 ② 열 ③ 두통 ④ 아픈, 병든 ⑤ 콧물

03 보기 연기하다 – 배우
  ① 지도하다 – 지도자 ② 소유하다 – 주인
  ③ 느끼다 – 느낌 ④ 걱정하다 – 걱정하는
  ⑤ 달리다 – 달리기 선수

04 • 그 남자아이는 스페인 출신이다.
  • 너는 축구에 관심이 있니?
  • 나는 집으로 가는 길에 우유를 조금 샀다.

05 ① A 피자 좀 먹을래?
    B 아니, 괜찮아. 나는 매우 배불러.
  ② A 나는 다리가 부러졌어.
    B 저런, 안됐다.
  ③ A 저 남자는 누구니?
    B 그는 나의 새로운 이웃이야.
  ④ A 나는 감기에 심하게 걸렸어.
    B 너는 약을 좀 먹어야 해. (take)
  ⑤ A 생일 축하해! 이건 너를 위한 거야.
    B 고마워. 나는 정말 행복해.

06 • 나는 그 소식에 슬펐다.
  • Tony는 어제 무릎을 다쳤다.

PART 3

DAY 11 친구　　　　　　pp.82~83

STEP 1

01 보내다　02 말하다, 이야기하다; 이야기, 대화
03 부르다, 전화하다; 전화　04 주다　05 받다
06 선물, 재능, 재주　07 초대하다　08 빌려주다
09 별명, 애칭　10 돕다, 도와주다; 도움　11 우정
12 friend　13 message　14 birthday
15 letter　16 special　17 meet
18 borrow　19 excuse　20 fight
21 present　22 surprise　23 어울려 놀다,
시간을 보내다　24 make fun of　25 laugh at

STEP 2

A　01 gave　　　　02 sent
　　03 met　　　　04 fought
　　05 borrowed　06 lent

B　01 surprise　　02 birthday
　　03 friend　　　04 letter
　　05 excuse

C　01 message　　02 invite
　　03 laugh at　　04 hang out
　　05 make fun

DAY 12 외모　　　　　　pp.88~89

STEP 1

01 날씬한　02 바꾸다, 변화시키다; 변화
03 키가 작은, 짧은　04 사랑스러운　05 뚱뚱한,
살찐; 지방　06 귀여운, 예쁜　07 못생긴, 보기 싫은
08 금발의　09 멋진, 잘생긴　10 턱수염
11 머리카락　12 키, 높이　13 tall
14 beautiful　15 overweight　16 style
17 sunglasses　18 look　19 pretty
20 attractive　21 round　22 curly
23 straight　24 항상　25 from time to time

STEP 2

A　01 thin　　　　02 short
　　03 straight

B　01 curly　　　02 straight
　　03 tall　　　　04 round
　　05 height

C　01 change　　02 overweight
　　03 Look at　　04 from, to
　　05 all the time

DAY 13 성격　　　　　　pp.94~95

STEP 1

01 똑똑한　02 친절한, 다정한　03 웃기는,
재미있는　04 활동적인, 활발한　05 어리석은,
멍청한　06 부끄럼을 타는, 수줍어하는
07 무례한, 버릇없는　08 바보, 어리석은 사람
09 쾌활한, 명랑한　10 현명한, 지혜로운
11 용감한　12 엄격한, 엄한　13 quiet
14 polite　15 character　16 humorous
17 creative　18 kind　19 honest
20 curious　21 lazy　22 calm
23 careful　24 스스로, 혼자 힘으로
25 cheer up

STEP 2

A　01 creative　　02 cheerfully
　　03 humorous　04 foolish
　　05 wisely

B　01 cheer　　　02 calm
　　03 character　04 funny

C　01 own　　　　02 careful
　　03 rude　　　04 kind
　　05 curious

DAY 14 학교

STEP 1

01 교사, 선생 02 학년, 성적 03 학교
04 숙제, 과제 05 가입하다, 함께하다
06 대회, 경연 07 운동장, 놀이터 08 함께 쓰다,
공유하다, 나누다 09 (학교·회사 등의) 구내식당
10 활동, 움직임 11 ~에 들어가다, ~에 입학하다
12 student 13 classroom 14 club
15 vacation 16 together 17 hall
18 library 19 follow 20 rule
21 festival 22 project 23 최선을 다하다
24 ~에 늦다[지각하다] 25 after school

STEP 2

A 01 share   02 enter
   03 follow

B 01 student   02 together
   03 vacation   04 rule

C 01 homework   02 late for
   03 after school 04 grade
   05 our best

DAY 15 수업

pp.106~107

STEP 1

01 수학 02 시험, 테스트 03 역사
04 반 친구 05 듣다, 귀를 기울이다
06 쉬운 07 가르치다 08 교과서, 교재
09 말하다, 이야기하다 10 배우다 11 책상
12 ask 13 solve 14 difficult 15 class
16 subject 17 question 18 quiz
19 science 20 chair 21 dictionary
22 notebook 23 떠들다, 소란을 피우다
24 be good at 25 focus on

STEP 2

A 01 teacher   02 scientist
   03 solution   04 easily

B 01 class   02 test
   03 history   04 question
   05 speak

C 01 learn   02 good at
   03 focus on   04 make noise
   05 listen to

내신대비 어휘 Test

pp.108~109

01 ③ 02 ③ 03 ④ 04 ④ 05 ⑤
06 ② 07 make 08 are good at climbing

해석

01 ① 차분한 ② 호기심이 많은 ③ 곱슬곱슬한
   ④ 정직한 ⑤ 예의 바른, 공손한

02 보기 사랑 – 사랑스러운
   ① 쉬운 – 쉽게 ② 아름다운 – 아름다움
   ③ 친구 – 친절한 ④ 쾌활한 – 쾌활하게
   ⑤ 활동적인 – 활동

03 • 그녀는 학교에 또 지각했다.
   • 그들은 나를 저녁 식사에 초대했다.
   • 그는 그의 형과 방을 같이 쓰고 있다.

04 ① 그녀는 오늘 아름다워 보인다.
   ② 너는 부모님의 말씀을 들어야 한다.
   ③ 그는 스스로 그 문제를 풀었다.
   ④ 그 학생들은 교실에 들어갔다. (entered)
   ⑤ 나는 때때로 슬픈 영화를 본다.

05 나는 오늘 수학 시험을 봤다. 나는 문제 하나를 못 풀었
   다. 그것은 매우 어려웠다.
   ① 특별한 ② 둥근 ③ 곧은, 일직선의 ④ 매력적인

06 나는 Tom과 싸웠다. 나는 그와 더 이상 어울려 놀지
   않을 것이다.
   ① ~을 비웃다 ③ 체중을 줄이다 ④ 진정하다
   ⑤ 변명을 하다

PART 4

STEP 1

01 재미, 즐거움; 재미있는 02 가장 좋아하는
03 (페인트를) 칠하다, (물감으로) 그리다; 페인트
04 사진기, 카메라 05 흥미로운, 재미있는
06 즐기다 07 게임, 경기 08 노래 09 영화
10 소풍 11 만화 12 온라인으로; 온라인의
13 party 14 hobby 15 usually
16 picture 17 draw 18 puzzle
19 magazine 20 balloon 21 sing
22 dance 23 watch 24 산책하러 가다
25 be tired of

STEP 2

A 01 painter   02 funny
   03 singer   04 dancer
   05 cartoonist

B 01 watch   02 fun
   03 song   04 picnic
   05 interesting   06 online

C 01 favorite   02 walk
   03 take, picture 04 enjoy
   05 tired of

STEP 1

01 (오븐에) 굽다 02 꿀 03 자르다, 베다
04 (우묵한) 그릇, 사발 05 끓다, 끓이다, 삶다
06 설탕 07 조금의, 몇몇의; 조금, 몇몇
08 기름 09 병 10 소금 11 소스
12 (음식을) 내다, 차리다 13 dish 14 order
15 mix 16 fry 17 taste 18 glass
19 cook 20 step 21 dessert
22 pepper 23 juice 24 A를 B(조각)으로
자르다[썰다] 25 a piece of

STEP 2

A 01 salty   02 baker
   03 server

B 01 bottle   02 piece
   03 dishes   04 dessert
   05 step, step

C 01 order   02 mix
   03 cook   04 taste
   05 cut

STEP 1

01 이기다, 우승하다 02 체육관, 헬스장
03 축구 04 스키를 타다; 스키 05 경주
06 (물속으로) 뛰어들다, 다이빙하다
07 스케이트를 타다; 스케이트 08 야구, 야구공
09 경기, 시합 10 배트, 방망이, 박쥐
11 조깅하다 12 swim 13 basketball
14 lose 15 outside 16 exercise
17 sport 18 team 19 player
20 practice 21 score 22 goal
23 끝나다 24 ~하러 가다 25 by the way

STEP 2

A 01 swam   02 won
   03 jogged   04 dived[dove]

B 01 player   02 match
   03 race   04 outside
   05 win   06 score

C 01 exercise   02 lost
   03 over   04 go skiing
   05 practice   06 By the way

STEP 1

01 소설 02 이야기 03 음악 04 포스터
05 미술관, 화랑 06 미술, 예술 07 밴드, 그룹
08 영화 09 팬, 부채, 선풍기 10 표, 입장권
11 마법, 마술; 마법의, 마술의 12 famous
13 concert 14 musical 15 role
16 theater 17 popular 18 harmony
19 show 20 title 21 museum
22 culture 23 자리에 앉다 24 나타나다,
(모습을) 드러내다 25 go to the movies

STEP 2

A 01 artist 02 musician
03 magician 04 cultural

B 01 music 02 story
03 musical 04 art
05 seat

C 01 famous 02 movies
03 harmony 04 show up
05 popular with

STEP 1

01 지도 02 여행 03 (짐을) 싸다, 챙기다,
포장하다 04 머무르다, 계속[그대로] 있다
05 배낭 06 호수 07 하이킹, 도보 여행
08 휴일, 공휴일 09 놀라운, 굉장한
10 재미, 오락 11 돌아오다, 돌아가다, 반납하다
12 경치, 전망, 의견 13 mountain 14 book
15 beach 16 plan 17 leave 18 arrive
19 camping 20 travel 21 island
22 guide 23 exciting
24 ~에 비행기를 타고 가다 25 check in

STEP 2

A 01 leave 02 unpack
03 check out

B 01 amusement 02 trip
03 hiking 04 camping
05 mountain

C 01 arrive 02 stay
03 check in 04 fly to
05 leave for

내신 대비 어휘 Test pp. 142~143

01 ④ 02 ⑤ 03 ④ 04 ④ 05 ②
06 ⑤ 07 (A) reading (B) swimming
08 three pieces of cake

해석

01 ① 춤추는 사람 ② 예술가 ③ 제빵사
④ 조리 기구 ⑤ 만화가

02 보기 놀다, 경기하다, 연주하다 – 선수, 연주자
① 승자 – 이기다 ② 문화 – 문화적인
③ 음악 – 뮤지컬; 음악의 ④ 하이킹 – 하이킹하다
⑤ 도착하다 – 도착

03 • 너는 TV를 너무 많이 보면 안 된다.
• 발밑을 조심하세요.
① 보다 ② 걷다 ③ 보여 주다 ⑤ 연습하다

05 ① 그는 다시 나타나지 않았다.
② 내가 설거지를 할게.
③ 이 쇼가 언제 끝날까?
④ 그들은 자주 공원에 산책하러 간다.
⑤ 우리는 박물관으로 현장 학습을 갔다.

06 ① 자리에 앉아 주세요.
② 너는 어젯밤에 재미있었니?
③ 나는 햄버거 먹는 것에 싫증이 났다.
④ 그녀는 후식으로 아이스크림을 먹었다.
⑤ 우리는 주말에 영화 보러 간다. (movies)

07 • 너는 그 책을 읽는 것을 즐겼니?
• 그들은 주말마다 수영하러 간다.

PART 5

DAY 21 집과 가구   pp. 150~151

STEP 1

01 집 **02** 화장실, 욕실 **03** (실내의) 바닥,
(건물의) 층 **04** 커튼 **05** 반지; (전화·벨·종이)
울리다 **06** 문 **07** 벽 **08** ~ 주위에,
~을 둘러싸고 **09** 정원 **10** 계단 **11** 탁자, 식탁
12 아파트 **13** bedroom **14** kitchen
15 roof **16** living room **17** next
18 window **19** shelf **20** knock
21 inside **22** computer **23** television
24 즉시, 곧바로 **25** turn on

STEP 2

A **01** outside   **02** right now
     03 turn off

B **01** bookshelf   **02** next
     03 wall   **04** stairs
     05 around

C **01** turn on   **02** garden
     03 floor   **04** living room
     05 on television[TV]

DAY 22 생활용품   pp. 156~157

STEP 1

01 종이 **02** 사진 **03** 필요하다
04 풀, 접착제; 붙이다 **05** 사물함 **06** 바구니
07 침대 시트, (종이) 한 장 **08** 수건 **09** 자
10 전등 **11** 틀, 액자 **12** 건전지, 배터리
13 eraser **14** pencil **15** stamp
16 envelope **17** soap **18** toothbrush
19 painting **20** find **21** calendar
22 key **23** useful **24** ~을 다 쓰다
25 both *A* and *B*

STEP 2

A **01** locker   **02** useful
     03 painting   **04** photographer

B **01** frame   **02** pencil
     03 stamp   **04** towel

C **01** need   **02** useful
     03 used   **04** piece
     05 both, and

DAY 23 사물 묘사   pp. 162~163

STEP 1

01 색 **02** 어두운, 캄캄한; 어둠
03 부드러운, 푹신한 **04** 더러운, 지저분한
05 더운, 뜨거운, 매운 **06** 느린, 더딘
07 새로운 **08** 젖은, 축축한 **09** 너무, ~도
10 것, 물건, 일 **11** 같은, 똑같은 **12** 안전한
13 cold **14** clean **15** light **16** sharp
17 dry **18** heavy **19** loud **20** fast
21 hard **22** different **23** dangerous
24 반복해서, 몇 번이고 **25** look like

STEP 2

A **01** clean   **02** dangerous
     03 dry   **04** quiet
     05 slow

B **01** dark   **02** loud
     03 light   **04** sharp

C **01** hard   **02** same
     03 looks like   **04** different from
     05 over[again], over[again]

DAY 24 쇼핑   pp. 168~169

STEP 1

01 돈 **02** 사다 **03** 물품, 아이템 **04** 쇼핑몰
05 시장 **06** (돈을) 쓰다, (시간을) 보내다
07 싼, 저렴한 **08** 판매, 할인 판매, 세일

09 동전 10 카트, 수레 11 지폐, 계산서, 청구서
12 sell 13 price 14 expensive
15 shop 16 choose 17 cash 18 list
19 get 20 pay 21 waste 22 dollar
23 매진[품절]이다, 다 팔리다 24 (가격이) 얼마,
(양이) 얼마나 많은 25 look for

STEP 2

A 01 bought   02 sold
   03 got   04 paid
   05 spent   06 chose

B 01 price   02 list
   03 market   04 waste
   05 bill   06 sale

C 01 money   02 How much
   03 go shopping   04 sold out
   05 looking for

DAY 25 장소와 위치   pp. 174~175

STEP 1

01 장소; 놓다 02 마을, 소도시 03 탑, 타워
04 빵집, 제과점 05 서비스, 봉사 06 거기에(서),
그곳에 07 병원 08 고향 09 한가운데, 중앙;
한가운데의, 중앙의 10 ~의 위에[위로]
11 ~의 뒤에 12 city 13 bank 14 park
15 under 16 here 17 restaurant
18 bookstore 19 back 20 supermarket
21 building 22 police station
23 A와 B 사이에 24 ~의 앞에 25 next to

STEP 2

A 01 place   02 village
   03 behind

B 01 city   02 bank
   03 Tower   04 restaurant
   05 back

C 01 next to   02 middle
   03 park   04 in front of
   05 between, and

어휘 Test   pp. 176~177

01 ⑤ 02 ③ 03 ④ 04 ③ 05 ④
06 ③ 07 (A) fast (B) much
08 Both Julie[Tony] and Tony[Julie]

해석

01 보기 시장, (할인) 판매, 지폐/계산서, 가격표
   ① 집 ② 건물 ③ 장소 ④ 마을 ⑤ 쇼핑

02 ① 깨끗한 – 지저분한 ② 시끄러운 – 조용한
   ③ 빠른 – 빠른 ④ 안전한 – 위험한 ⑤ 싼 – 비싼

03 • 아이들이 벽에 그림을 그리고 있다.
   • 나는 내 여동생과 다르다.
   • 나는 Tom과 Mary의 사이에 앉았다.

04 너무 어두워요. 불 좀 켜 주세요.
   ① ~을 다 쓰다 ② 내려가다
   ④ ~의 옆에 ⑤ ~처럼 보이다

05 그 소년 밴드는 매우 인기 있다. 그들의 새 앨범은 매진
   되었다.
   ① 즉시, 곧바로 ② ~을 지불하다
   ③ ~의 앞에 ⑤ 반복해서, 몇 번이고

06 보기 그는 매우 열심히 일했다.
   ① 그 의자는 딱딱한 느낌이다.
   ② 이 문제는 나에게 너무 어렵다.
   ③ 나는 다음번에 열심히 노력할 것이다.
   ④ 그녀는 힘든 하루를 보냈다.
   ⑤ 그 시험은 정말 어려웠다.

07 • 너는 너무 빨리 걷고 있다.
   • 당신은 하루에 얼마나 많은 돈을 쓰나요?

08 Julie는 테니스 치는 것을 좋아한다. Tony도 테니스
   치는 것을 좋아한다.
   → Julie[Tony]와 Tony[Julie]는 둘 다 테니스 치는
   것을 좋아한다.

PART 6

STEP 1

01 원하다, ~하고 싶다 02 요리사, 주방장
03 조종사, 파일럿 04 일, 일자리, 직업
05 수의사 06 치과 의사 07 사무실
08 관리자, 경영자 09 (남자) 배우 10 모델,
모형 11 농부 12 간호사 13 work
14 company 15 engineer 16 firefighter
17 scientist 18 future 19 musician
20 director 21 police 22 doctor
23 designer 24 잘 해내다 25 be proud of

STEP 2

A 01 actor   02 scientist
   03 farmer   04 worker
   05 director

B 01 nurse   02 police
   03 model   04 office
   05 doctor

C 01 work   02 want to
   03 dentist   04 proud of
   05 good job

DAY 27 인생 pp.190~191

STEP 1

01 어린, 젊은 02 살다 03 혼자 04 늙은,
오래된, 나이가 ~인 05 어려움, 문제 06 부유한,
풍부한 07 운이 좋은, 행운의 08 바라다,
희망하다; 소원, 희망 09 죽다 10 나이
11 ~이 되다 12 ready 13 teenager
14 mistake 15 lesson 16 child
17 adult 18 life 19 poor 20 peace
21 chance 22 almost 23 태어나다
24 from now on 25 grow up

STEP 2

A 01 young   02 child
   03 unlucky   04 poor
   05 adult

B 01 peace   02 child
   03 mistake   04 alone
   05 trouble

C 01 grew up   02 were born
   03 wish   04 ready for
   05 From now on

DAY 28 시간과 순서 pp.196~197

STEP 1

01 지금, 이제 02 한 시간 03 날짜 04 오늘
05 달, 월 06 늦은; 늦게 07 해, 년
08 곧, 금방 09 지난, 이전의, 마지막의
10 내일 11 주말 12 time 13 week
14 early 15 minute 16 later
17 tonight 18 final 19 yesterday
20 moment 21 before 22 after
23 언젠가, 어느 날 24 시간 맞춰 가다, 해내다
25 on time

STEP 2

A 01 early   02 after
   03 final

B 01 last   02 week
   03 weekends   04 now
   05 moment   06 tomorrow

C 01 on time   02 late for
   03 before   04 every month
   05 make it

STEP 1

01 의견 02 확신하는, 확실한 03 마음, 정신
04 생각, 아이디어 05 희망하다, 바라다; 희망
06 생각하다 07 기억력, 기억, 추억 08 알다
09 표현하다, 나타내다 10 예상하다, 기대하다
11 추측하다, 알아맞히다; 추측 12 궁금하다
13 imagine 14 understand 15 forget
16 dream 17 believe 18 like
19 secret 20 reason 21 remember
22 finally 23 decide 24 처음에는
25 give up

STEP 2

A 01 decision   02 imagination
   03 belief   04 expression
   05 finally

B 01 dream   02 idea
   03 memory   04 guess
   05 secret

C 01 opinion   02 decided
   03 think about   04 at first
   05 give up

DAY 30 의사소통   pp. 208~209

STEP 1

01 의미하다 02 말하다, 이야기하다
03 단어, 낱말 04 (책·영화·연극 속의) 대화
05 주제, 화제 06 (~라고) 말하다 07 게시하다;
우편, 우편물 08 농담, 장난; 농담하다
09 소리치다, 외치다; 외침, 고함 10 소리 내어,
큰 소리로 11 반복하다, 다시 말하다
12 answer 13 introduce 14 phone
15 lie 16 sound 17 agree 18 speech
19 discuss 20 suggest 21 advice
22 email 23 ~와 연락하고 지내다
24 say hello to 25 ask for

STEP 2

A 01 introduction   02 advise
   03 discussion   04 meaning
   05 suggestion

B 01 answer   02 speech
   03 lie   04 phone
   05 topic

C 01 Introduce   02 agree with
   03 ask for   04 say hello
   05 keep in touch

내신대비 어휘 Test   pp. 210~211

01 ③ 02 ⑤ 03 ③ 04 ③ 05 ④
06 (A) late (B) lied
07 I got home, the game started

해석

01 보기 감독, 과학자, 엔지니어, 농부
   ① 사무실 ② 의견 ③ 직업 ④ 회사 ⑤ 주제

02 보기 제안하다 – 제안
   ① 결정하다 – 결정   ② 죽다 – 죽음
   ③ 논의하다 – 논의   ④ 상상하다 – 상상
   ⑤ 조언 – 조언하다

04 나는 Kate에 동의하지 않는다. 내 의견은 그녀의 의견
   과 다르다.
   ① ~을 요청하다   ② ~에 대해 생각하다
   ④ ~에게 안부를 전하다   ⑤ ~와 연락하고 지내다

05 ① 우리는 그곳에 제시간에 도착할 것이다.
   ② 나는 포기하지 않을 것이다.
   ③ 그들은 처음에는 나를 믿지 않았다.
   ④ 그 남자아이는 그의 이모와 함께 런던에 산다.
   ⑤ 이제부터, 나는 매일 운동할 것이다.

06 • 그는 어젯밤에 늦게 잤다.
   • 내가 너에게 거짓말해서 미안해.

PART 7

DAY 31 크기와 거리

STEP 1

01 긴 **02** 크기 **03** 얇은, 가는, (몸이) 마른
04 유형, 종류 **05** 큰, 넓은 **06** (폭이) 좁은
07 큰 **08** 높은; 높이, 높게 **09** 작은 **10** 선, 줄
11 거대한 **12** thick **13** deep **14** side
15 triangle **16** near **17** square
18 circle **19** wide **20** low **21** tiny
22 shape **23** A에서[부터] B까지
24 far from **25** for a long time

STEP 2

A 01 big   **02** narrow
     03 high   **04** short
     05 thin

B 01 line   **02** side
     03 near   **04** type
     05 square

C 01 circle   **02** far from
     03 long time   **04** from, to

DAY 32 상태 묘사

STEP 1

01 나쁜, 좋지 않은 **02** 평평한, 납작한
03 정확한, 맞는 **04** 훌륭한, 위대한
05 모든 것, 전부 **06** 멋진, 근사한
07 조용한, 고요한 **08** 틀린, 잘못된
09 밝은, 환한 **10** 규칙적인, 정기적인
11 예, 보기 **12** terrible **13** smooth
14 important **15** fresh **16** anyway
17 simple **18** free **19** really
20 describe **21** fantastic **22** strange
23 동시에, 한꺼번에, 즉시, 당장 **24** 마음을
편하게 먹다, 쉬엄쉬엄하다 **25** slow down

STEP 2

A 01 good   **02** dark
     03 quiet   **04** right away

B 01 fresh   **02** bad
     03 free   **04** regular
     05 example

C 01 strange   **02** describe
     03 terrible   **04** once
     05 Take, easy

DAY 33 수와 양

STEP 1

01 모든, 모두 **02** (수가) 몇몇의, 약간의
03 (수가) 거의 없는 **04** (수가) 많은
05 천(1,000); 천(1,000)의
06 아무것도 ~ 아니다[없다]
07 (양이) 약간의, 조금의
08 (양이) 거의 없는, 작은, 어린
09 몇몇의, 여럿의 **10** 더하다, 추가하다
11 (시간·물질의) 양 **12** count **13** divide
14 hundred **15** anything **16** half
17 number **18** empty **19** enough
20 only **21** much **22** fill
23 (수·양이) 많은 **24** take out
25 how many

STEP 2

A 01 add   **02** count
     03 fill   **04** divide

B 01 half   **02** number
     03 hundred   **04** anything

C 01 enough   **02** a lot
     03 How many   **04** took out
     05 thousands

STEP 1

01 모퉁이, 구석 02 길, 방법 03 거리
04 비행기 05 (탈것에) 타다 06 운전하다
07 건너다, 가로지르다 08 놓치다, 그리워하다
09 왼쪽의; 왼쪽으로 10 배 11 자전거
12 bridge 13 right 14 train 15 sign
16 speed 17 road 18 wait 19 station
20 pass 21 block 22 subway
23 버스로, 버스를 타고 24 get off
25 go straight

STEP 2

A 01 right   02 right
   03 pass   04 get on
B 01 train   02 on
   03 ride   04 cross
   05 corner   06 sign
C 01 subway   02 Go straight
   03 Turn left   04 wait for
   05 get off

STEP 1

01 일어나다, 발생하다 02 상자, 케이스, 경우
03 신문 04 놀라운, 놀라게 하는
05 사건, 일, 행사, 이벤트 06 두 번째의; 초
07 사실인, 진짜의, 진정한 08 그때, 그 다음에
09 한 번 10 확인하다, 점검하다; 확인, 점검
11 ~ 동안[내내] 12 often 13 fact
14 again 15 result 16 always
17 sometimes 18 already 19 fair
20 reporter 21 first 22 never 23 결국
24 동시에 25 more and more

STEP 2

A 01 unfair   02 true
   03 last   04 after all
B 01 fair   02 check
   03 fact   04 result
   05 once
C 01 already   02 often
   03 during   04 same time
   05 More, more

내신대비 어휘 Test

01 ④ 02 ④ 03 ④ 04 ③ 05 ⑤
06 ⑤ 07 once
08 straight two blocks, turn left

해석

01 ④ divide: 나누다

02 ① 놓치다 – 잡아타다   ② 사실인 – 거짓의
   ③ 비어 있는 – 가득 찬   ④ 조용한 – 조용한
   ⑤ (폭이) 넓은 – (폭이) 좁은

03 너의 답이 맞다.
   ① 왼쪽의   ② 자유로운, 무료의   ③ 중요한   ⑤ 틀린

04 • 나는 방학 동안에 제주도에 갔다.
   • 그들은 오랫동안 함께 일했다.
   • 여기에서 그 가게까지 5분 걸린다.

05 A 뮤지컬 어땠어?
   B 아주 좋았어. 그것은 _____.
   ① 좋은   ② 훌륭한   ③ 멋진
   ④ 환상적인   ⑤ 끔찍한

06 ① 그는 상자를 책들로 채웠다.
   ② 우리는 기차를 타고 여행할 것이다.
   ③ 나는 영화관에서 그녀를 기다리고 있었다.
   ④ 그 영화는 놀라운 결말이 있다.
   ⑤ 몇몇 학생들이 학교에 지각했다. (A few)

PART 8

STEP 1

01 하늘   02 구멍   03 해, 태양
04 정글, (열대의) 밀림   05 빛나다, 반짝이다
06 바다   07 모래   08 연못   09 돌, 돌멩이
10 불   11 토양   12 꼭대기, 정상   13 desert
14 nature   15 river   16 ground
17 wood   18 hill   19 ocean   20 field
21 rise   22 rock   23 wave
24 ~으로 가득 차다   25 these days

STEP 2

A   01 wave   02 wood
    03 hill   04 soil

B   01 Ocean   02 Sea
    03 field   04 rock
    05 top

C   01 hole   02 wave
    03 full   04 desert
    05 these days

DAY 37 동물   pp. 258~259

STEP 1

01 야생의   02 물고기; 낚시하다   03 날개
04 알, 달걀   05 동물, 짐승
06 새장, (동물의) 우리   07 말   08 늑대
09 상어   10 양   11 둥지   12 뱀   13 bear
14 dolphin   15 feather   16 tail
17 giraffe   18 elephant   19 mouse
20 penguin   21 bark   22 feed   23 deer
24 ~할 수 있다   25 how long

STEP 2

A   01 mice   02 sheep
    03 wolves   04 deer
    05 fish

B   01 wild   02 bear
    03 tail   04 nest
    05 egg   06 horse

C   01 fishing   02 feed
    03 bark   04 able to
    05 How long

DAY 38 식물과 곤충   pp. 264~265

STEP 1

01 견과   02 꽃   03 콩   04 뿌리   05 나무
06 벌레, 작은 곤충   07 나뭇잎   08 벌
09 딸기   10 날다, 비행하다; 파리   11 씨, 씨앗
12 모기   13 insect   14 cabbage
15 vegetable   16 potato   17 plant
18 grass   19 stick   20 fruit   21 butterfly
22 grow   23 spider   24 ~와 같은
25 one by one

STEP 2

A   01 seed   02 leaf
    03 fruit   04 root

B   01 stick   02 leaves
    03 grass

C   01 flew   02 grow
    03 planted   04 one, one
    05 such as

STEP 1

01 (날씨가) 맑은, 화창한 **02** 눈; 눈이 오다
03 구름 **04** 안개가 낀 **05** 날씨 **06** 따뜻한
07 열, 더위; 데우다 **08** 햇빛 **09** 얼다, 얼리다
10 맑은, 투명한 **11** 아마도, 어쩌면 **12** 가을
13 wind **14** blow **15** cool **16** spring
17 umbrella **18** rainbow **19** perfect
20 thunder **21** rain **22** season
23 storm **24** 계속되다 **25** be covered with

STEP 2

A **01** foggy **02** windy
03 snowy **04** sunny
05 cloudy **06** heater

B **01** rain **02** spring
03 weather **04** cloud
05 rain

C **01** warm **02** season
03 went on **04** covered with
05 storm

STEP 1

01 별, 스타 **02** 쓰레기 **03** 로켓 **04** 기, 깃발
05 문제 **06** 공기, 대기 **07** 힘, 권력, 에너지
08 달 **09** 기체, 가스, 휘발유 **10** 공장
11 플라스틱; 플라스틱의 **12** world **13** save
14 planet **15** country **16** recycle
17 space **18** environment **19** protect
20 serious **21** earth **22** volunteer
23 ~ 때문에 **24** ~으로 만들어지다
25 throw away

STEP 2

A **01** recycling **02** protection
03 environmental **04** powerful

B **01** plastic **02** gas
03 power **04** world
05 volunteer **06** environment

C **01** serious **02** save
03 because of **04** throw away
05 made of

내신대비 어휘 Test
pp.278~279

01 ⑤ **02** ④ **03** ③ **04** ④ **05** ③
06 ④ **07** (A) rose (B) because of
08 is full of letters

해석

01 ① 사슴 ② 늑대 ③ 감자
④ 나뭇잎 ⑤ 양(sheep – sheep)

02 ① 동물 : 코끼리 ② 식물 : 풀, 잔디(밭)
③ 곤충 : 나비 ④ 자연 : 후식, 디저트
⑤ 채소 : 양배추

04 가을은 내가 가장 좋아하는 계절이다. 그것은 여름 후에 온다.
① 날씨 ② 봄 ③ 맑은, 화창한 ⑤ 행성

05 그녀는 자주 딸기, 오렌지, 그리고 포도와 같은 신선한 과일로 샐러드를 만든다.
① ~할 수 있는 ② ~ 때문에
④ 하나씩, 한 명씩 ⑤ 요즘

06 ① 그 의사가 그녀의 목숨을 구할 것이다.
② 우리는 돌고래들을 구해야 한다.
③ 우리가 어떻게 지구를 구할 수 있을까?
④ 너는 돈을 더 저축해야 한다.
⑤ 마스크를 쓰는 것은 당신의 목숨을 구할 수 있다.

07 • 해가 오늘 아침 6시에 떴다.
• 그는 새로운 직장 때문에 부산으로 이사 갔다.

INDEX

영어 실력과 내신 점수를 함께 높이는

중학 영어 클리어, 빠르게 통하는 시리즈

 문법 영문법 클리어 | LEVEL 1~3

최신 개정판

문법 개념과 내신을 한 번에 끝내다!

- 중등에서 꼭 필요한 핵심 문법만 담아 시각적으로 정리
- 시험에 꼭 나오는 출제 포인트부터 서술형 문제까지 내신 완벽 대비

 쓰기 문법+쓰기 클리어 | LEVEL 1~3

영작과 서술형을 한 번에 끝내다!

- 기초 형태 학습부터 문장 영작까지 단계별로 영작 집중 훈련
- 최신 서술형 유형과 오류 클리닉으로 서술형 실전 준비 완료

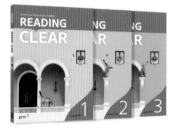

 독해 READING CLEAR | LEVEL 1~3

문장 해석과 지문 이해를 한 번에 끝내다!

- 핵심 구문 32개로 어려운 문법 구문의 정확한 해석 훈련
- Reading Map으로 글의 핵심 및 구조 파악 훈련

 듣기 LISTENING CLEAR | LEVEL 1~3

듣기 기본기와 듣기 평가를 한 번에 끝내다!

- 최신 중학 영어듣기능력평가 완벽 반영
- 1.0배속/1.2배속/받아쓰기용 음원 별도 제공으로 학습 편의성 강화

 실전 문법 빠르게 통하는 영문법 핵심 1200제 | LEVEL 1~3

실전 문제로 내신과 실력 완성에 빠르게 통한다!

- 대표 기출 유형과 다양한 실전 문제로 내신 완벽 대비
- 시험에 자주 나오는 실전 문제로 실전 풀이 능력 빠르게 향상

01	travel	图 여행하다, 이동하다 図 여행, 이동
02	trip	図 여행
03	plan	図 계획 图 계획하다
04	pack	图 1. (짐을) 싸다, 챙기다 2. 포장하다
05	backpack	图 배낭
06	holiday	図 휴일, 공휴일
07	map	図 지도
08	book	図 책 图 예약하다
09	leave	图 떠나다, 출발하다
10	arrive	图 도착하다
11	stay	图 머무르다, 계속[그대로] 있다
12	beach	図 해변
13	lake	図 호수
14	mountain	図 산
15	island	図 섬
16	amusement	図 재미, 오락
17	camping	図 캠핑, 야영
18	hiking	図 하이킹, 도보 여행
19	guide	図 (여행) 가이드, 안내자 图 안내하다
20	view	図 1. 경치, 전망 2. 의견
21	amazing	图 놀라운, 굉장한
22	exciting	图 신나게 하는, 흥미진진한
23	return	图 1. 돌아오다, 돌아가다 2. 반납하다
24	fly to	~에 비행기를 타고 가다
25	check in	(호텔에서) 숙박 수속을 하다

01	house	図 집
02	living room	図 거실
03	bedroom	図 침실
04	bathroom	図 화장실, 욕실
05	kitchen	図 부엌
06	garden	図 정원
07	roof	図 지붕
08	apartment	図 아파트
09	stair	図 계단
10	floor	図 1. (실내의) 바닥 2. (건물의) 층
11	door	図 문
12	knock	图 (문을) 두드리다, 노크하다
13	ring	図 반지 图 (전화·벨·종이) 울리다
14	window	図 창문
15	wall	図 벽
16	curtain	図 커튼
17	table	図 탁자, 식탁
18	television	図 텔레비전, TV
19	computer	図 컴퓨터
20	shelf	図 선반
21	next	图 다음의 图 다음에
22	inside	図 ~의 안에 图 안에, 안으로
23	around	図 ~ 주위에, ~을 둘러싸고
24	turn on	~을 켜다
25	right away	즉시, 곧바로

DAY 22 생활용품

01	need	통 필요하다
02	pencil	명 연필
03	eraser	명 지우개
04	paper	명 종이
05	sheet	명 1. 침대 시트 2. (종이) 한 장
06	ruler	명 자
07	glue	명 풀, 접착제 통 (풀이나 접착제로) 붙이다
08	photo	명 사진
09	frame	명 틀, 액자
10	painting	명 (물감으로 그린) 그림
11	envelope	명 봉투
12	stamp	명 1. 우표 2. 도장
13	key	명 열쇠
14	basket	명 바구니
15	lamp	명 전등
16	locker	명 사물함
17	soap	명 비누
18	towel	명 수건
19	toothbrush	명 칫솔
20	calendar	명 달력
21	battery	명 건전지, 배터리
22	find	통 찾다, 발견하다
23	useful	형 유용한, 도움이 되는
24	use up	~을 다 쓰다
25	both *A* and *B*	A와 B 둘 다

DAY 19 문화와 예술

01	music	명 음악
02	musical	명 뮤지컬 형 음악의, 음악적인
03	concert	명 콘서트
04	band	명 밴드, 그룹
05	famous	형 유명한
06	fan	명 1. 팬 2. 부채, 선풍기
07	harmony	명 1. (음악의) 화음 2. 조화, 화합
08	art	명 미술, 예술
09	museum	명 박물관
10	gallery	명 미술관, 화랑
11	film	명 영화
12	poster	명 포스터
13	theater	명 극장, 영화관
14	ticket	명 표, 입장권
15	popular	형 인기 있는
16	show	통 보여 주다 명 공연, 쇼
17	role	명 역할, (영화·연극에서 배우의) 배역
18	culture	명 문화
19	novel	명 소설
20	title	명 제목
21	story	명 이야기
22	magic	명 마법, 마술 형 마법의, 마술의
23	show up	나타나다, (모습을) 드러내다
24	have a seat	자리에 앉다
25	go to the movies	영화 보러 가다

01	sport	명 운동 (경기), 스포츠
02	exercise	명 운동 동 운동하다
03	gym	명 체육관, 헬스장
04	soccer	명 축구
05	basketball	명 농구, 농구공
06	baseball	명 야구, 야구공
07	win	동 이기다, 우승하다
08	lose	동 1. 지다 2. 잃어버리다
09	outside	부 밖에서, 밖으로 전 ~의 밖에
10	swim	동 수영하다
11	ski	동 스키를 타다 명 스키
12	skate	동 스케이트를 타다 명 스케이트
13	dive	동 (물속으로) 뛰어들다, 다이빙하다
14	team	명 팀
15	practice	명 연습 동 연습하다
16	score	명 (경기·시합의) 득점, 점수 동 득점하다
17	goal	명 1. 골, 득점 2. 목표
18	match	명 경기, 시합
19	race	명 경주
20	jog	동 조깅하다
21	bat	명 1. 배트, 방망이 2. 박쥐
22	player	명 1. (경기·게임의) 선수, 참가자 2. (악기) 연주자
23	go -ing	~하러 가다
24	be over	끝나다
25	by the way	(화제를 바꿀 때) 그런데

01	thing	명 1. 것, 물건 2. 일
02	color	명 색
03	new	형 새로운
04	hot	형 1. 더운, 뜨거운 2. 매운
05	cold	형 추운, 차가운 명 감기
06	wet	형 젖은, 축축한
07	dry	형 마른, 건조한 동 말리다, 마르다
08	hard	형 1. 딱딱한, 단단한 2. 어려운, 힘든 부 열심히
09	soft	형 부드러운, 푹신한
10	clean	형 깨끗한 동 청소하다
11	dirty	형 더러운, 지저분한
12	heavy	형 무거운
13	sharp	형 날카로운, 뾰족한
14	light	명 빛, 불빛, 전등 형 1. 밝은, 연한 2. 가벼운
15	dark	형 어두운, 캄캄한 명 어둠
16	fast	형 빠른 부 빨리
17	slow	형 느린, 더딘
18	same	형 같은, 똑같은
19	different	형 다른
20	safe	형 안전한
21	dangerous	형 위험한
22	loud	형 (소리가) 큰, 시끄러운
23	too	부 1. 너무 2. ~도
24	look like	~처럼 보이다
25	over and over	반복해서, 몇 번이고

01	buy	통 사다
02	sell	통 팔다
03	mall	명 쇼핑몰
04	shop	명 가게, 상점 통 물건을 사다, 쇼핑하다
05	market	명 시장
06	money	명 돈
07	cheap	형 싼, 저렴한
08	expensive	형 비싼
09	price	명 가격, 값
10	sale	명 1. 판매 2. 할인 판매, 세일
11	item	명 물품, 아이템
12	list	명 목록
13	pay	통 (돈을) 내다, 지불하다
14	get	통 1. 받다, 얻다 2. (어떤 장소에) 도착하다
15	choose	통 고르다, 선택하다
16	spend	통 1. (돈을) 쓰다 2. (시간을) 보내다
17	waste	통 낭비하다 명 1. 쓰레기 2. 낭비
18	cart	명 카트, 수레
19	cash	명 현금
20	coin	명 동전
21	dollar	명 (화폐 단위) 달러($)
22	bill	명 1. 지폐 2. (식당의) 계산서, 청구서
23	look for	~을 찾다
24	how much	(가격이) 얼마, (양이) 얼마나 많은
25	be sold out	매진[품절]이다, 다 팔리다

01	cook	통 요리하다 명 요리사, 요리하는 사람
02	cut	통 자르다, 베다
03	some	형 조금의, 몇몇의 대 조금, 몇몇
04	boil	통 끓다, 끓이다, 삶다
05	fry	통 튀기다, (기름에) 굽다 명 (감자)튀김
06	bake	통 (빵·과자 등을 오븐에) 굽다
07	mix	통 섞다, 섞이다
08	order	통 주문하다 명 주문
09	dish	명 1. 접시, (얕은) 그릇 2. 요리
10	bowl	명 (우묵한) 그릇, 사발
11	bottle	명 병
12	glass	명 유리, 유리잔
13	step	명 1. 단계 2. (발)걸음
14	dessert	명 후식, 디저트
15	juice	명 주스
16	sugar	명 설탕
17	salt	명 소금
18	pepper	명 1. 후추 2. 고추
19	oil	명 기름
20	honey	명 꿀
21	sauce	명 소스
22	serve	통 (음식을) 내다, 차리다
23	taste	통 ~한 맛이 나다 명 맛
24	a piece of	(케이크 등의) 한 조각, (종이) 한 장
25	cut A into B	A를 B(조각)으로 자르다[썰다]

01	hobby	명 취미
02	fun	명 재미, 즐거움 형 재미있는
03	enjoy	동 즐기다
04	favorite	형 가장 좋아하는
05	movie	명 영화
06	game	명 게임, 경기
07	sing	동 노래하다
08	song	명 노래
09	dance	동 춤추다 명 춤, 무용
10	draw	동 (연필이나 펜으로) 그리다
11	paint	동 (페인트를) 칠하다, (물감으로) 그리다 명 페인트
12	watch	동 1. 보다, 시청하다 2. 조심하다 명 손목시계
13	puzzle	명 퍼즐
14	magazine	명 잡지
15	cartoon	명 만화
16	picture	명 1. 그림 2. 사진
17	camera	명 사진기, 카메라
18	picnic	명 소풍
19	party	명 파티
20	balloon	명 풍선
21	interesting	형 흥미로운, 재미있는
22	usually	부 대개, 보통
23	online	부 온라인으로 형 온라인의
24	go for a walk	산책하러 가다
25	be tired of	~이 지겹다, ~에 싫증 나다

16

01	town	명 마을, 소도시
02	city	명 도시
03	hometown	명 고향
04	place	명 장소 동 놓다
05	park	명 공원 동 주차하다
06	bank	명 은행
07	hospital	명 병원
08	tower	명 탑, 타워
09	restaurant	명 식당
10	bakery	명 빵집, 제과점
11	bookstore	명 서점
12	supermarket	명 슈퍼마켓
13	police station	명 경찰서
14	building	명 건물, 빌딩
15	service	명 서비스, 봉사
16	above	전 ~의 위에[위로]
17	middle	명 한가운데, 중앙 형 한가운데의, 중앙의
18	behind	전 ~의 뒤에
19	under	전 ~의 아래에, ~의 밑에
20	here	부 여기에(서), 여기로
21	there	부 거기에(서), 그곳에
22	back	부 뒤로 형 뒤쪽의 명 뒤, 뒷면
23	between A and B	A와 B 사이에
24	next to	~의 옆에
25	in front of	~의 앞에

25

01	job	명 일, 일자리, 직업
02	work	동 일하다 명 일, 직장
03	company	명 회사
04	office	명 사무실
05	designer	명 디자이너, 설계자
06	engineer	명 엔지니어, 기술자
07	farmer	명 농부
08	actor	명 (남자) 배우
09	doctor	명 의사
10	nurse	명 간호사
11	dentist	명 치과 의사
12	director	명 감독, 연출가
13	scientist	명 과학자
14	chef	명 요리사, 주방장
15	pilot	명 조종사, 파일럿
16	police	명 경찰
17	firefighter	명 소방관
18	manager	명 관리자, 경영자
19	model	명 1. 모델 2. 모형
20	vet	명 수의사
21	musician	명 음악가
22	want	동 원하다, ~하고 싶다
23	future	명 미래, 장래
24	do a good job	잘 해내다
25	be proud of	~을 자랑스러워하다

01	class	명 1. 반, 학급 2. 수업 (시간)
02	classmate	명 반 친구
03	learn	동 배우다
04	teach	동 가르치다
05	speak	동 말하다, 이야기하다
06	listen	동 듣다, 귀를 기울이다
07	math	명 수학
08	science	명 과학
09	history	명 역사
10	subject	명 1. 과목 2. 주제, 화제
11	ask	동 1. 물어보다 2. 부탁하다, 요청하다
12	solve	동 풀다, 해결하다
13	chair	명 의자
14	desk	명 책상
15	question	명 질문
16	textbook	명 교과서, 교재
17	notebook	명 공책, 노트
18	dictionary	명 사전
19	test	명 시험, 테스트
20	quiz	명 1. 쪽지 시험 2. 퀴즈
21	easy	형 쉬운
22	difficult	형 어려운
23	focus on	~에 집중하다
24	be good at	~을 잘하다
25	make noise	떠들다, 소란을 피우다

01	school	명 학교
02	student	명 학생
03	teacher	명 교사, 선생
04	classroom	명 교실
05	library	명 도서관
06	playground	명 운동장, 놀이터
07	cafeteria	명 (학교·회사 등의) 구내식당
08	hall	명 1. 복도 2. 강당, 홀
09	grade	명 1. 학년 2. 성적
10	join	동 가입하다, 함께하다
11	club	명 동아리, 동호회
12	activity	명 활동, 움직임
13	vacation	명 방학, 휴가
14	homework	명 숙제, 과제
15	festival	명 축제
16	contest	명 대회, 경연
17	project	명 연구 과제, 프로젝트
18	rule	명 규칙
19	follow	동 (~의 뒤를) 따라가다[따라오다], (지시 등을) 따르다
20	share	동 1. 함께 쓰다, 공유하다 2. 나누다
21	enter	동 1. ~에 들어가다 2. ~에 입학하다
22	together	부 같이, 함께
23	after school	방과 후에
24	do one's best	최선을 다하다
25	be late for	~에 늦다[지각하다]

01	child	명 1. 아이, 어린이 2. 자녀
02	teenager	명 십 대
03	young	형 어린, 젊은
04	old	형 1. 늙은 2. 낡은, 오래된 3. 나이가 ~인
05	adult	명 어른, 성인
06	ready	형 준비가 된
07	become	동 ~이 되다
08	live	동 살다
09	life	명 1. 인생, 삶 2. 생명, 목숨
10	lucky	형 운이 좋은, 행운의
11	chance	명 1. 기회 2. 가능성
12	lesson	명 1. 수업, 강습 2. 교훈
13	trouble	명 어려움, 문제
14	mistake	명 실수, 잘못
15	poor	형 1. 가난한 2. 불쌍한
16	rich	형 1. 부유한 2. 풍부한
17	wish	동 바라다, 희망하다 명 소원, 희망
18	peace	명 평화
19	die	동 죽다
20	age	명 나이
21	alone	형 부 혼자
22	almost	부 거의
23	be born	태어나다
24	grow up	자라다, 성장하다
25	from now on	이제부터

01	time	명 1. 시각 2. 시간, 때
02	hour	명 한 시간
03	minute	명 (시간 단위) 분
04	early	형 이른 부 일찍
05	late	형 늦은 부 늦게
06	now	부 지금, 이제
07	date	명 날짜
08	week	명 (월요일부터 일요일까지의) 주
09	weekend	명 주말
10	month	명 달, 월
11	year	명 해, 년
12	soon	부 곧, 금방
13	later	부 나중에, 후에
14	today	부 명 오늘
15	yesterday	부 명 어제
16	tomorrow	부 명 내일
17	tonight	부 오늘 밤에 명 오늘 밤
18	before	전 ~ 전에 접 ~하기 전에
19	after	전 ~ 후에 접 ~한 후에
20	moment	명 1. 잠깐, 잠시 2. (특정한) 순간, 시점
21	last	형 1. 지난, 이전의 2. 마지막의, 끝의
22	final	형 마지막의, 최후의 명 결승, 결승전
23	on time	제시간에
24	make it	1. 시간 맞춰 가다 2. 해내다
25	one day	언젠가, 어느 날

01	character	명 1. 성격, 특징 2. 등장인물, 캐릭터
02	funny	형 웃기는, 재미있는
03	active	형 활동적인, 활발한
04	kind	형 친절한 명 종류
05	friendly	형 친절한, 다정한
06	honest	형 정직한, 솔직한
07	smart	형 똑똑한
08	brave	형 용감한
09	wise	형 현명한, 지혜로운
10	cheerful	형 쾌활한, 명랑한
11	creative	형 창의적인, 창조적인
12	curious	형 호기심이 많은, 궁금해하는
13	calm	형 침착한, 차분한 동 진정시키다, 달래다
14	careful	형 조심하는, 주의 깊은
15	quiet	형 조용한, 고요한
16	shy	형 부끄럼을 타는, 수줍어하는
17	polite	형 예의 바른, 공손한
18	strict	형 엄격한, 엄한
19	humorous	형 유머러스한, 유머가 넘치는
20	fool	명 바보, 어리석은 사람
21	lazy	형 게으른
22	stupid	형 어리석은, 멍청한
23	rude	형 무례한, 버릇없는
24	cheer up	기운을 내다
25	on one's own	스스로, 혼자 힘으로

01	cute	형 귀여운, 예쁜
02	pretty	형 예쁜 부 꽤, 상당히
03	tall	형 키가 큰, 높은
04	short	형 1. 키가 작은 2. 짧은
05	lovely	형 사랑스러운
06	beautiful	형 아름다운
07	handsome	형 멋진, 잘생긴
08	round	형 둥근
09	ugly	형 못생긴, 보기 싫은
10	look	동 1. 보다 2. ~해 보이다
11	height	명 키, 높이
12	slim	형 날씬한
13	overweight	형 과체중의
14	fat	형 뚱뚱한, 살찐 명 지방
15	hair	명 머리카락
16	straight	형 곧은, 일직선의 부 똑바로, 곧장
17	curly	형 곱슬곱슬한
18	blond	형 금발의
19	sunglasses	명 선글라스
20	change	동 바꾸다, 변화시키다 명 변화
21	style	명 1. (패션·디자인 등의) 스타일 2. 방식
22	beard	명 턱수염
23	attractive	형 매력적인
24	all the time	항상
25	from time to time	때때로

01	think	동 생각하다
02	mind	명 마음, 정신
03	idea	명 생각, 아이디어
04	opinion	명 의견
05	know	동 알다
06	understand	동 이해하다
07	forget	동 잊다, 잊어버리다
08	remember	동 기억하다
09	memory	명 1. 기억력 2. 기억, 추억
10	secret	명 비밀 형 비밀의
11	decide	동 결정하다, 결심하다
12	sure	형 확신하는, 확실한
13	guess	동 추측하다, 알아맞히다 명 추측
14	imagine	동 상상하다
15	dream	명 꿈 동 꿈을 꾸다
16	hope	동 희망하다, 바라다 명 희망
17	like	동 좋아하다 전 ~처럼, ~와 같이
18	expect	동 예상하다, 기대하다
19	believe	동 믿다
20	express	동 표현하다, 나타내다
21	wonder	동 궁금하다
22	reason	명 이유
23	finally	부 1. 마침내, 결국 2. 마지막으로
24	give up	포기하다
25	at first	처음에는

01	say	통 (~라고) 말하다
02	word	명 단어, 낱말
03	tell	통 말하다, 이야기하다
04	answer	통 대답하다 명 대답, 답
05	agree	통 동의하다
06	repeat	통 반복하다, 다시 말하다
07	phone	명 전화, 전화기
08	sound	명 소리 통 ~인 것 같다, ~처럼 들리다
09	mean	통 의미하다
10	suggest	통 제안하다
11	advice	명 조언, 충고
12	discuss	통 논의하다, 토론하다
13	speech	명 연설
14	lie	통 1. 눕다 2. 거짓말하다 명 거짓말
15	joke	명 농담, 장난 통 농담하다
16	dialogue	명 (책·영화·연극 속의) 대화
17	topic	명 주제, 화제
18	shout	통 소리치다, 외치다 명 외침, 고함
19	aloud	부 소리 내어, 큰 소리로
20	introduce	통 소개하다
21	email	명 이메일
22	post	통 (게시판·인터넷에) 게시하다 명 우편, 우편물
23	say hello to	~에게 안부를 전하다
24	ask for	~을 요청하다
25	keep in touch with	~와 연락하고 지내다

01	friend	명 친구
02	friendship	명 우정
03	meet	통 만나다
04	talk	통 말하다, 이야기하다 명 이야기, 대화
05	help	통 돕다, 도와주다 명 도움
06	fight	통 싸우다 명 싸움
07	special	형 특별한
08	birthday	명 생일
09	gift	명 1. 선물 2. 재능, 재주
10	present	명 선물 형 현재의
11	letter	명 1. 편지 2. 글자, 문자
12	message	명 메시지
13	send	통 보내다
14	give	통 주다
15	receive	통 받다
16	borrow	통 빌리다
17	lend	통 빌려주다
18	call	통 1. (큰 소리로) 부르다 2. 전화하다 명 전화
19	invite	통 초대하다
20	surprise	명 놀라운[뜻밖의] 일 통 놀라게 하다
21	excuse	통 봐주다, 용서하다 명 변명, 핑계
22	nickname	명 별명, 애칭
23	laugh at	~을 비웃다
24	hang out	어울려 놀다, 시간을 보내다
25	make fun of	~을 놀리다

01	health	명 건강
02	strong	형 강한, 힘센
03	weak	형 약한, 힘이 없는
04	wake	동 (잠에서) 깨다, 깨우다
05	bath	명 목욕
06	sleepy	형 졸린
07	tired	형 피곤한, 지친
08	fine	형 괜찮은, 좋은
09	full	형 1. 가득 찬 2. 배부른
10	hungry	형 배고픈
11	thirsty	형 목마른, 갈증이 나는
12	hurt	동 1. 다치게 하다 2. 아프다
13	weight	명 무게, 체중
14	fever	명 (병으로 인한) 열
15	cough	동 기침하다 명 기침
16	runny nose	콧물
17	throat	명 목구멍
18	medicine	명 약
19	headache	명 두통
20	pain	명 통증, 고통
21	sick	형 아픈, 병든
22	dead	형 죽은
23	have a cold	감기에 걸리다
24	get well	병이 낫다
25	see a doctor	병원에 가다, 의사의 진찰을 받다

01	size	명 크기
02	big	형 큰
03	small	형 작은
04	large	형 (크기·면적 등이) 큰, 넓은
05	huge	형 거대한
06	tiny	형 아주 작은
07	long	형 긴
08	deep	형 깊은
09	high	형 높은 부 높이, 높게
10	low	형 낮은 부 낮게
11	thick	형 두꺼운, 굵은
12	thin	형 1. 얇은, 가는 2. (몸이) 마른
13	wide	형 (폭이) 넓은
14	narrow	형 (폭이) 좁은
15	shape	명 모양, 형태
16	circle	명 원, 동그라미
17	triangle	명 삼각형
18	square	명 정사각형 형 정사각형의
19	line	명 선, 줄
20	side	명 1. 쪽, 측 2. 옆, 옆면
21	type	명 유형, 종류
22	near	전 ~ 가까이에
23	far from	~에서 멀리
24	for a long time	오랫동안
25	from *A* to *B*	A에서[부터] B까지

01	great	혱 훌륭한, 위대한
02	wonderful	혱 멋진, 근사한
03	bad	혱 나쁜, 좋지 않은
04	fantastic	혱 환상적인, 아주 좋은
05	terrible	혱 끔찍한, 지독한
06	simple	혱 간단한, 단순한
07	correct	혱 정확한, 맞는
08	wrong	혱 틀린, 잘못된
09	important	혱 중요한
10	free	혱 1. 자유로운, 한가한 2. 무료의
11	fresh	혱 신선한, 갓 만든
12	bright	혱 (빛·색깔 등이) 밝은, 환한
13	flat	혱 평평한, 납작한
14	strange	혱 1. 이상한 2. 낯선
15	smooth	혱 매끄러운
16	regular	혱 규칙적인, 정기적인
17	silent	혱 조용한, 고요한
18	everything	떼 모든 것, 전부
19	describe	동 묘사하다, 자세히 설명하다
20	example	몡 예, 보기
21	really	뷔 정말로, 실제로
22	anyway	뷔 어쨌든
23	take it easy	마음을 편하게 먹다, 쉬엄쉬엄하다
24	slow down	속도를 줄이다
25	at once	1. 동시에, 한꺼번에 2. 즉시, 당장

01	feel	동 느끼다, ~한 기분이 들다
02	smile	몡 미소 동 미소 짓다
03	laugh	동 (소리 내어) 웃다
04	cry	동 1. 울다 2. 외치다, 소리치다
05	thank	동 ~에게 고마워하다[감사하다]
06	sorry	혱 1. 미안한 2. 안쓰러운
07	good	혱 좋은, 훌륭한
08	glad	혱 기쁜, 반가운
09	happy	혱 행복한
10	love	동 사랑하다 몡 사랑
11	hate	동 아주 싫어하다, 미워하다 몡 미움, 증오
12	joy	몡 기쁨
13	sad	혱 슬픈
14	lonely	혱 외로운, 고독한
15	heart	몡 1. 심장 2. 마음
16	angry	혱 화난, 성난
17	upset	혱 속상한, 기분이 상한
18	nervous	혱 긴장한, 초조한
19	bored	혱 지루해하는
20	excited	혱 신이 난, 흥분한
21	worried	혱 걱정하는
22	surprised	혱 놀란
23	be interested in	~에 관심이 있다
24	be afraid of	~을 무서워하다[두려워하다]
25	feel like -ing	~하고 싶다

01	face	명 얼굴, 표정 통 마주 보다
02	eye	명 눈
03	nose	명 코
04	ear	명 귀
05	mouth	명 입
06	tooth	명 이, 치아, 이빨
07	lip	명 입술
08	cheek	명 볼, 뺨
09	knee	명 무릎
10	see	통 보다
11	smell	통 냄새가 나다, 냄새를 맡다 명 냄새
12	hear	통 듣다, 들리다
13	voice	명 목소리, 음성
14	body	명 몸, 신체
15	head	명 머리, 고개
16	neck	명 목
17	shoulder	명 어깨
18	arm	명 팔
19	hand	명 손 통 건네주다
20	finger	명 손가락
21	leg	명 다리
22	foot	명 발
23	toe	명 발가락
24	shake hands with	~와 악수를 하다
25	give ~ a hand	~을 도와주다

01	number	명 1. 수, 숫자 2. 번호
02	hundred	명 백(100) 형 백(100)의
03	thousand	명 천(1,000) 형 천(1,000)의
04	many	형 (수가) 많은
05	much	형 (양이) 많은 부 매우, 대단히
06	all	형 모든 대 모두
07	anything	대 아무것(도), 무엇이든
08	nothing	대 아무것도 ~ 아니다[없다]
09	several	형 몇몇의, 여럿의
10	enough	형 (필요한 만큼) 충분한 부 충분히
11	empty	형 비어 있는
12	only	부 겨우, 단지 형 유일한
13	a few	(수가) 몇몇의, 약간의
14	a little	(양이) 약간의, 조금의
15	few	형 (수가) 거의 없는
16	little	형 1. (양이) 거의 없는 2. 작은, 어린
17	half	명 반, 절반
18	amount	명 (시간·물질의) 양
19	count	통 (수를) 세다, 계산하다
20	add	통 더하다, 추가하다
21	divide	통 나누다
22	fill	통 채우다
23	a lot of	(수·양이) 많은
24	how many	몇 개의, 몇 명의
25	take out	~을 꺼내다

01	street	명 거리
02	road	명 도로
03	way	명 1. 길 2. 방법
04	cross	동 건너다, 가로지르다
05	drive	동 운전하다
06	bike	명 자전거
07	ride	동 (탈것에) 타다
08	corner	명 모퉁이, 구석
09	left	형 왼쪽의 부 왼쪽으로
10	right	형 1. 맞는, 정확한 2. 오른쪽의 부 오른쪽으로
11	sign	명 표지판 동 서명하다, 사인하다
12	block	명 블록, 구역 동 막다
13	bridge	명 (강·도로 등의) 다리
14	subway	명 지하철
15	station	명 역
16	train	명 기차
17	ship	명 배
18	plane	명 비행기
19	speed	명 속도, 속력
20	wait	동 기다리다
21	miss	동 1. 놓치다 2. 그리워하다
22	pass	동 1. 지나가다 2. 건네주다 3. 합격하다
23	go straight	똑바로 가다, 직진하다
24	by bus	버스로, 버스를 타고
25	get off	(탈것에서) 내리다

01	walk	동 1. 걷다 2. 산책시키다 명 걷기, 산책
02	run	동 달리다
03	jump	동 뛰어오르다, 점프하다
04	kick	동 (발로) 차다
05	sit	동 앉다
06	stand	동 서다
07	move	동 1. 움직이다, 옮기다 2. 이사하다
08	build	동 짓다, 건설하다
09	turn	동 돌다, 돌리다 명 차례, 순서
10	push	동 1. 밀다 2. (버튼 등을) 누르다
11	pull	동 끌다, 잡아당기다
12	break	동 깨다, 부수다 명 휴식
13	climb	동 오르다, 올라가다
14	touch	동 1. 만지다, 건드리다 2. 감동시키다
15	throw	동 던지다
16	catch	동 1. 잡다 2. (버스·기차 등을) 잡아타다
17	drop	동 떨어뜨리다, 떨어지다 명 (액체) 방울
18	hold	동 잡고[들고] 있다
19	shake	동 흔들리다, 흔들다
20	hit	동 치다, 때리다, 부딪치다
21	point	동 가리키다 명 1. 핵심, 논점 2. 점수
22	fall	동 1. 떨어지다 2. 넘어지다 명 가을
23	quickly	부 빨리, 신속히
24	run after	~을 뒤쫓다[쫓아다니다]
25	get out of	~에서 나가다

01	baby	명 아기
02	boy	명 남자아이, 소년
03	girl	명 여자아이, 소녀
04	man	명 (성인) 남자
05	woman	명 (성인) 여자
06	lady	명 여성분, 숙녀
07	gentleman	명 남성분, 신사
08	people	명 사람들
09	person	명 (개개의) 사람, 개인
10	king	명 왕
11	queen	명 여왕
12	prince	명 왕자
13	princess	명 공주
14	angel	명 천사
15	neighbor	명 이웃, 이웃 사람
16	group	명 무리, 집단, 그룹
17	leader	명 지도자, 리더
18	member	명 회원, 구성원
19	master	명 달인, 대가 동 완전히 익히다, 숙달하다
20	owner	명 주인, 소유주
21	gather	동 모이다, 모으다
22	each	형 각자의, 각각의 대 각자, 각각
23	each other	서로
24	come from	~ 출신이다, ~에서 오다
25	on my way home	집으로 가는 길에[도중에]

01	event	명 1. (중요한) 사건, 일 2. 행사, 이벤트
02	happen	동 (사건이) 일어나다, 발생하다
03	true	형 1. 사실인 2. 진짜의, 진정한
04	fact	명 사실
05	check	동 확인하다, 점검하다 명 확인, 점검
06	newspaper	명 신문
07	reporter	명 기자, 리포터
08	always	부 항상
09	often	부 자주, 종종
10	sometimes	부 가끔, 때때로
11	never	부 절대[전혀] ~ 않다
12	once	부 한 번
13	again	부 또, 다시
14	case	명 1. 상자, 케이스 2. 경우
15	result	명 결과
16	fair	형 공평한, 공정한 명 박람회
17	surprising	형 놀라운, 놀랍게 하는
18	first	형 첫 번째의, 처음의 부 먼저, 처음에
19	second	형 두 번째의 명 (시간 단위) 초
20	already	부 이미, 벌써
21	then	부 1. 그때 2. 그 다음에
22	during	전 ~ 동안[내내]
23	after all	결국
24	at the same time	동시에
25	more and more	점점 더 많은

01	nature	몡 자연
02	sky	몡 하늘
03	sun	몡 해, 태양
04	ground	몡 땅, 지면
05	fire	몡 불
06	sand	몡 모래
07	stone	몡 돌, 돌멩이
08	rock	몡 1. 바위 2. 록 (음악)
09	soil	몡 토양
10	hole	몡 구멍
11	field	몡 1. 들판, 밭 2. 경기장
12	hill	몡 언덕
13	desert	몡 사막
14	top	몡 꼭대기, 정상
15	jungle	몡 정글, (열대의) 밀림
16	wood	몡 1. (재료로서의) 나무, 목재 2. 숲
17	pond	몡 연못
18	river	몡 강
19	sea	몡 바다
20	ocean	몡 대양, 큰 바다
21	wave	몡 파도, 물결 통 손을 흔들다
22	rise	통 1. (해·달이) 뜨다 2. 오르다, 상승하다
23	shine	통 빛나다, 반짝이다
24	be full of	~으로 가득 차다
25	these days	요즘

01	go	통 가다
02	come	통 오다
03	read	통 읽다
04	write	통 (글 등을) 쓰다
05	use	통 사용하다
06	try	통 노력하다, 해보다
07	have	통 1. 가지고 있다 2. 먹다, 마시다
08	open	통 열다 혱 열린
09	close	통 닫다 혱 1. 가까운 2. 친한
10	start	통 시작하다
11	end	통 끝나다, 끝내다 몡 끝
12	finish	통 끝내다, 마치다
13	make	통 만들다
14	act	통 1. 행동하다 2. 연기하다
15	stop	통 멈추다, 그만두다 몡 정류장
16	put	통 놓다, 두다
17	carry	통 1. 나르다 2. 가지고 다니다
18	take	통 (물건을) 가져가다, (사람을) 데려가다
19	bring	통 (물건을) 가져오다, (사람을) 데려오다
20	pick	통 1. 고르다, 선택하다 2. (꽃을) 꺾다, (과일을) 따다
21	keep	통 1. 유지하다 2. 계속 ~하다
22	cover	통 덮다, 가리다
23	line up	줄을 서다
24	pick up	1. ~을 집어 들다 2. ~을 차로 데리러 가다
25	stop by	(~에) 잠시 들르다

01	**breakfast**	몡 아침 식사
02	**lunch**	몡 점심 식사
03	**dinner**	몡 저녁 식사
04	**eat**	동 먹다
05	**drink**	동 마시다 몡 음료, 마실 것
06	**food**	몡 음식
07	**spoon**	몡 숟가락
08	**fork**	몡 포크
09	**knife**	몡 칼, 나이프
10	**meat**	몡 고기, 육류
11	**chicken**	몡 닭고기, 닭
12	**beef**	몡 소고기
13	**pork**	몡 돼지고기
14	**water**	몡 물 동 (식물 등에) 물을 주다
15	**rice**	몡 쌀, 밥
16	**bread**	몡 빵
17	**tea**	몡 (음료) 차
18	**snack**	몡 간식, 간단한 식사
19	**prepare**	동 준비하다
20	**delicious**	형 아주 맛있는
21	**sweet**	형 달콤한, 단 몡 단것, 사탕
22	**salty**	형 짠, 짭짤한
23	**spicy**	형 매운, 매콤한
24	**eat out**	외식하다
25	**set the table**	상을 차리다

01	**animal**	몡 동물, 짐승
02	**wild**	형 야생의
03	**bear**	몡 곰
04	**wolf**	몡 늑대
05	**elephant**	몡 코끼리
06	**penguin**	몡 펭귄
07	**giraffe**	몡 기린
08	**deer**	몡 사슴
09	**sheep**	몡 양
10	**horse**	몡 말
11	**fish**	몡 물고기 동 낚시하다
12	**dolphin**	몡 돌고래
13	**shark**	몡 상어
14	**snake**	몡 뱀
15	**mouse**	몡 쥐
16	**tail**	몡 꼬리
17	**wing**	몡 날개
18	**feather**	몡 (새의) 깃털
19	**nest**	몡 둥지
20	**egg**	몡 알, 달걀
21	**cage**	몡 새장, (동물의) 우리
22	**feed**	동 먹이를[음식을] 주다
23	**bark**	동 짖다
24	**how long**	(시간이) 얼마나 오래, (길이가) 얼마나 긴
25	**be able to**	～할 수 있다

01	tree	명 나무
02	flower	명 꽃
03	grow	통 1. 자라다, 성장하다 2. 기르다, 재배하다
04	plant	명 식물 통 (식물을) 심다
05	fruit	명 과일
06	strawberry	명 딸기
07	vegetable	명 채소
08	bean	명 콩
09	potato	명 감자
10	cabbage	명 양배추
11	nut	명 견과
12	grass	명 풀, 잔디(밭)
13	seed	명 씨, 씨앗
14	leaf	명 나뭇잎
15	stick	명 1. 나뭇가지 2. 막대기, 스틱
16	root	명 뿌리
17	insect	명 곤충
18	bug	명 벌레, 작은 곤충
19	bee	명 벌
20	fly	통 1. (새·곤충이) 날다 2. 비행하다 명 파리
21	butterfly	명 나비
22	spider	명 거미
23	mosquito	명 모기
24	one by one	하나씩, 한 명씩
25	such as	~와 같은

01	wear	통 (옷·신발·모자 등을) 입고[신고/쓰고] 있다
02	clothes	명 옷
03	shirt	명 셔츠
04	sweater	명 스웨터
05	skirt	명 치마, 스커트
06	dress	명 드레스, 원피스
07	jacket	명 재킷
08	uniform	명 제복, 유니폼
09	pants	명 바지
10	jeans	명 청바지
11	sock	명 양말 (한 짝)
12	shoe	명 신발 (한 짝)
13	glove	명 장갑 (한 짝)
14	pair	명 한 쌍, 한 켤레, 한 벌
15	cap	명 (챙이 앞에만 달린) 모자
16	hat	명 (챙이 둥글게 달린) 모자
17	scarf	명 스카프, 목도리
18	belt	명 허리띠, 벨트
19	bag	명 가방
20	pocket	명 주머니
21	tie	명 넥타이 통 매다, 묶다
22	design	통 디자인하다, 설계하다 명 디자인, 설계
23	fashion	명 패션, 의류업
24	put on	~을 입다[신다/쓰다]
25	take off	1. ~을 벗다 2. (비행기가) 이륙하다

01	family	명 가족, 가정
02	father	명 아버지
03	mother	명 어머니
04	brother	명 남자 형제(형, 오빠, 남동생)
05	sister	명 여자 형제(누나, 언니, 여동생)
06	marry	동 ~와 결혼하다
07	parent	명 부모 (중 한 사람)
08	son	명 아들
09	daughter	명 딸
10	twin	명 쌍둥이 (중 한 사람) 형 쌍둥이의
11	husband	명 남편
12	wife	명 아내, 부인
13	grandparent	명 조부모 (중 한 사람)
14	visit	동 방문하다, 찾아가다
15	welcome	감 환영합니다! 동 환영하다, 맞이하다
16	uncle	명 삼촌, 아저씨
17	aunt	명 고모, 이모, 숙모
18	cousin	명 사촌
19	relative	명 친척
20	name	명 이름
21	pet	명 애완동물
22	dear	형 1. (편지 첫머리에) ~에게[께] 2. 소중한
23	also	부 또한, ~도
24	take care of	~을 돌보다
25	have a good time	즐거운 시간을 보내다

01	weather	명 날씨
02	sunny	형 (날씨가) 맑은, 화창한
03	cloud	명 구름
04	wind	명 바람
05	rain	명 비 동 비가 오다
06	snow	명 눈 동 눈이 오다
07	foggy	형 안개가 낀
08	storm	명 폭풍
09	thunder	명 천둥
10	umbrella	명 우산
11	warm	형 따뜻한
12	cool	형 1. 시원한, 서늘한 2. 멋진
13	clear	형 맑은, 투명한
14	perfect	형 완벽한
15	sunlight	명 햇빛
16	rainbow	명 무지개
17	heat	명 열, 더위 동 (음식 등을) 데우다
18	blow	동 1. (바람이) 불다 2. (입으로) 불다
19	freeze	동 얼다, 얼리다
20	spring	명 1. 봄 2. 샘 3. 용수철
21	autumn	명 가을
22	season	명 계절
23	maybe	부 아마도, 어쩌면
24	go on	계속되다
25	be covered with	~으로 덮여 있다

01	world	명 세계, 세상
02	country	명 1. 나라, 국가 2. 시골
03	flag	명 기, 깃발
04	earth	명 1. 지구 2. 땅, 육지
05	space	명 1. 우주 2. 공간, 자리
06	air	명 공기, 대기
07	moon	명 달
08	star	명 1. 별 2. 스타
09	planet	명 행성
10	rocket	명 로켓
11	power	명 1. 힘, 권력 2. 에너지
12	save	동 1. (위험에서) 구하다 2. (돈을) 모으다, 저축하다
13	serious	형 1. 심각한 2. 진지한, 진심인
14	problem	명 문제
15	plastic	명 플라스틱 형 플라스틱의
16	factory	명 공장
17	trash	명 쓰레기
18	recycle	동 재활용하다
19	gas	명 1. 기체, 가스 2. 휘발유
20	environment	명 환경
21	protect	동 보호하다
22	volunteer	명 자원자, 자원봉사자
23	be made of	~으로 만들어지다
24	throw away	~을 버리다
25	because of	~ 때문에

01	morning	명 아침, 오전
02	afternoon	명 오후
03	evening	명 저녁
04	day	명 1. 하루, 날 2. 낮
05	night	명 밤, 야간
06	noon	명 정오
07	sleep	동 (잠을) 자다
08	play	동 1. 놀다 2. 경기하다 3. 연주하다
09	study	동 공부하다 명 공부
10	wash	동 씻다
11	nice	형 좋은, 멋진
12	busy	형 바쁜
13	hurry	동 서두르다
14	every	형 1. 모든 2. ~마다, 매 ~
15	home	명 집, 가정 부 집에, 집으로
16	room	명 방
17	shower	명 샤워
18	relax	동 편히 쉬다, 긴장을 풀다
19	habit	명 습관, 버릇
20	diary	명 일기, 일기장
21	brush	동 붓질하다, 솔질하다 명 붓, 솔
22	mirror	명 거울
23	clock	명 (벽에 걸거나 실내에 두는) 시계
24	get up	(잠자리에서) 일어나다
25	go to bed	잠자리에 들다

시험에 더 강해지는

보카
클리어
중학 기본편

미니 단어장

시험에 더 강해지는

보카
클리어
중학 기본편

미니 단어장

VOCA

동아출판